Diogenes Taschenbuch 24001

Hansjörg Schneider

Silberkiesel

Hunkelers erster Fall

Roman

Diogenes

Die Erstausgabe erschien
1993 im Ammann Verlag, Zürich
Umschlagfoto von
Fredrik Nyman (Ausschnitt)
Copyright © Fredrik Nyman/Johnér Images/
Corbis/Specter

Sehen Sie, erzählen, einfach er-
zählen, ein Bilderbuch schreiben,
in dem der Zug, das Haus, die
Straße vorkommen, die Dinge, die
der Mann jeden Tag sieht und die
er gar nicht mehr sieht, weil sie
ihm zu geläufig sind.

Friedrich Glauser

Der Intercity Frankfurt–Basel rollte durch die oberrheinische Tiefebene, ein schöner, schlanker Zug. Es war Mitte Februar, der Schnee lag fingerhoch auf den kahlen Rebstöcken, die sich ostwärts den Hang hinaufzogen. Eine Bilderbuchlandschaft, in der einige Krähen herumflatterten und spitzgieblige Dörfer herumstanden.

Guy Kayat, ein fünfunddreißigjähriger Libanese in hellem Kamelhaarmantel, stand im Gang des fahrenden Waggons, hinter sich das leere Abteil mit seinem reservierten Platz, neben sich auf dem Boden die schwarze Reisetasche aus afrikanischem Antilopenleder, vor sich das breitflächige Fenster. Er hatte die linke Hand auf die leicht vorspringende Fensterumrandung gestützt, um die Fahrbewegung besser auspendeln zu können, die rechte Hand hielt eine Zigarette. Er fühlte sich müde, da er am frühen Morgen in Nikosia nach Frankfurt am Main abgeflogen war. In Nikosia war es angenehm warm gewesen, der Himmel blau, und jetzt dieses Grau da draußen und diese Kälte. Wie können Menschen in diesem unfreundlichen Klima leben, fragte sich Kayat, warum wandern sie nicht aus? Für ihn selber war das kein Problem, er hatte vor, nur wenige Tage in Basel zu bleiben, er war auf Geschäftsreise.

Der Zug preschte in einen Tunnel hinein, Kayat lehnte sich zurück, um dem scheppernden Geräusch zu entgehen. Er ließ die Zigarette zu Boden fallen und trat sie aus. Nervös schaute er durch den leeren Gang nach vorn, dann nach hinten. Niemand war zu sehen. Kayat griff sich an die Krawatte, prüfte den Knopf, der einwandfrei am Hemdkragen saß. Alles in Ordnung, und auch der Rest der Reise würde problemlos sein.

Als der Zug wieder ins Freie hinausfuhr und das Scheppern schlagartig aufhörte, erschienen im hinteren Teil des Ganges zwei Männer, in unauffälliges Grau gekleidet. Kayat sah sofort, dass es zwei Beamte waren. Einer der beiden zog die Tür des ersten Abteils auf und trat ein. Der andere schaute scheinbar gelangweilt nach vorn zu Kayat.

Kayat spürte, wie sein Mund trocken wurde. Er kannte dieses Gefühl, er wusste, dass er jetzt ruhig am Fenster stehen bleiben und abwarten musste. Es war ganz normal, dass Beamte des schweizerischen Zollamtes die Reisenden nach Basel kontrollierten, er war darauf vorbereitet. Ruhe bewahren, freundlich lächeln und sich unter keinen Umständen etwas anmerken lassen, das war schließlich sein Beruf.

Kayat nahm sich eine neue Zigarette aus der Schachtel und zündete sie an. Seine rechte Hand mit dem Feuerzeug zitterte, in den Achselhöhlen brach ihm der Schweiß aus. Was war das? Warum verlor er die Nerven?

Er zog den Rauch tief in die Luftröhre hinunter. Dann drehte er den Kopf nach links zu den Männern. Einer war offenbar immer noch im Abteil. Der andere stand breitbeinig im Gang, in der Hand ein dickes schwarzes Buch, das er aus der Mappe genommen hatte, die zu seinen Füßen stand. Er blätterte sorgfältig darin, bis er die richtige Seite fand, nahm dann einen Stift aus der Jackentasche und schrieb etwas hinein. Er versorgte den Stift wieder, klappte das Buch zu und schaute durch den Gang nach vorn, mit leicht zusammengekniffenen Augen, wie es schien, als ob dort etwas Auffälliges zu sehen wäre.

Kayat wusste, dass er hierzulande eine auffällige Erscheinung war, schließlich war er Araber. Er kannte diese versteckten Blicke zur Genüge, die seiner Person galten, wenn er durch die Straßen Frankfurts ging, diesen heimlichen, kaum eingestandenen kleinen Hass, der sich sogleich hinter verlogen aufgesetzte Freundlichkeit zurückzuziehen pflegte. Die Menschen waren eben Rassisten, hier und anderswo, auch wenn sie das nie und nimmer zugeben würden. Sie waren Rassisten, weil sie in sich selber, in ihrer eigenen weißen oder andersfarbigen Haut unsicher waren und deshalb alles Fremde als Bedrohung empfanden. Schlimm war das nicht. Und wenn man sich korrekt verhielt und immer genug Geld bei sich trug, wurde man auch als Araber korrekt behandelt.

Aber jetzt, als der Beamte sein schwarzes Buch eingesteckt hatte und sich entschlossenen Schrittes näherte, verlor Kayat die Nerven. Er fing an zu husten, als ob ihm der eingesogene Tabakrauch die Luftröhre ätzen würde. Er beugte den Oberkörper nach vorn und hustete, dass ihm die Tränen kamen. Er trat die Zigarette auf dem Boden aus, zog ein weißes Taschentuch aus der Hosentasche, hielt es sich hustend und fast erbrechend vor den Mund, packte die Reisetasche und ging schnell durch den Gang nach vorn. Als er am Wagenende angekommen war und vom Gang her nicht mehr zu sehen war, drückte er mit aller Kraft den Griff der Schiebetür zur Seite, um die Automatik zu beschleunigen. Er hörte überdeutlich das Rauschen der Fahrt über den Schwellen, das Klopfen der Räder auf den Schienen, er sah den feinen Schneestaub, der durch die Fugen der Passage hereingeweht war, er riss auch die zweite Tür mit aller Kraft auf und rannte weiter. Er hatte aufgehört zu husten, mit zittrigen Fingern steckte er das Taschentuch ein. Was war eigentlich los? War er auf der Flucht? Aber wohin sollte er fliehen? Der Zug war begrenzt, er war eingesperrt in diesen Zug, und abspringen konnte er nicht bei dieser Geschwindigkeit.

Er riss die Tür zum Speisewagen auf. Es saßen nur wenige Reisende an den Tischen. Sie schauten neugierig auf, als er hereingestürzt kam. Er war viel zu schnell, gar nicht wie ein normaler Reisender. Dazu war er verschwitzt, und bestimmt stand ihm die Panik im Gesicht.

Er hielt an und versuchte, ruhig zu atmen. Er nahm das linke Handgelenk vor die Augen und schaute auf seine Uhr. Dann blickte er um sich, als ob er einen freien Tisch suchen würde. Vielleicht sollte er sich hinsetzen, ganz unauffällig, überlegte er, wie ein gewöhnlicher Mann auf Dienstreise, Kaffee bestellen, in aller Ruhe das Auftauchen des Zollbeamten abwarten und auf dessen Bitte hin den Pass vorzeigen. Der war gültig und in Ordnung, es gab keinen Grund zur Aufregung.

Kayat drehte sich um und schaute zur Tür, durch die er eben hereingekommen war. Sie bestand aus schwach durchsichtigem Glas, dahinter bewegte sich nichts. Durch die Fenster sah er ein Weindorf drüben am Hang vorbeiziehen, die Dächer weiß verschneit. Die Leute an den Tischen hatten sich beruhigt, einige dösten vor sich hin, andere lasen in Zeitschriften, niemand schaute mehr auf.

Als ihn der Kellner, ein Südländer offensichtlich, mit dickem, rotem Gesicht, an einen Tisch bitten wollte, fasste Kayat einen Entschluss. Er war jetzt wieder ganz ruhig, Herr jeder Situation, und wäre sie noch so kritisch gewesen, er lehnte dankend ab, ging zwischen den Tischen hindurch nach vorn zum Ausgang. Er berührte leicht den Griff der automatischen Tür und wartete, bis sie sich zur Seite schob, er betrat den nächsten Wagen. Es war ein Erstklass-Waggon in hellen Farben, der fast geräuschlos über die Schienen glitt.

Kayat stieß die Tür zur Toilette auf. Er trat ein, schloss hinter sich zu und öffnete die Reisetasche. Er riss den aufgeklebten doppelten Boden weg, warf ihn ins Klosett und spülte ihn hinunter. Dann entnahm er dem bloßgelegten Taschenboden einen flachen Plastikbeutel mit Diamanten drin. Er riss eine Packung Präservative auf, klaubte eines heraus und füllte die Diamanten hinein. Er nahm aus einem Lederbeutel eine Spraydose mit Rasierschaum, öffnete seinen Hosenbund und zog sich die Unterhosen herunter. Er sprayte sich Schaum in die Hand, rieb damit das gefüllte Präservativ ein, beugte sich vor, indem er sich mit der anderen Hand am Lavabo abstützte, und schob sich die Diamanten tief in den After. Er erhob sich wieder aus seiner gekrümmten Haltung, wenn auch unter einigen Schmerzen. Er wartete eine Weile mit geschlossenen Augen, um zu prüfen, ob die Diamanten drinblieben. Sie blieben drin.

Als es draußen an die Tür klopfte, zog er sich die Hosen hoch, schloss mit genauen, schnellen Bewegungen den Bund, sprayte sich das Kinn voll Schaum und riss eine Wegwerfklinge aus der Packung. Damit schabte er sich die linke Gesichtshälfte frei.

Als es ein zweites Mal an die Tür klopfte, diesmal härter, bestimmter, öffnete er. Vor ihm stand der Zollbeamte, ein junger Mann mit blondem Schnurrbart.

»Kann ich bitte Ihren Ausweis sehen?«, fragte er.

»Aber gern«, sagte Kayat, »nur einen Moment.«

Er wusch sich sorgfältig die Hände, trocknete sie an einem der bereitliegenden Papiertücher ab, warf es in den dafür bereitstehenden Eimer und nahm den Pass aus der Jackentasche. »Bitte sehr«, sagte er freundlich lächelnd, als er ihn hinstreckte.

Der Beamte hatte wortlos zugeschaut, breitbeinig die Schläge des fahrenden Wagens auspendelnd. Er nahm den Pass, blätterte darin, biss sich fest am Foto, das er lange anstarrte.

»Sie sind Libanese«, sagte er.

Kayat schabte sich behutsam die rechte Gesichtshälfte frei. »Ja«, antwortete er, »das wird doch nicht verboten sein?«

Der Beamte entnahm seiner Mappe einen handlichen Apparat, tippte etwas ein, während sich Kayat das Gesicht abtrocknete, wartete, ohne aufzusehen, und erhielt offenbar eine Antwort, die ihm nicht gefiel.

»Okay«, sagte er, »es liegt nichts vor gegen Sie.«

»Was sollte denn vorliegen?«, fragte Kayat in bestem Deutsch, was den jungen blonden Mann offensichtlich verwirrte.

»Man weiß nie. Es treibt sich allerhand Volk herum. Darf ich mal sehen?«

»Aber gern«, sagte Kayat und stellte die offene Reisetasche auf das Lavabo. Der Beamte hob einige Hemden hoch, griff darunter und brachte Unterwäsche zum Vorschein.

»Was man halt so braucht«, sagte Kayat und zuckte fast entschuldigend mit den Achseln.

»Ferien?«, fragte der Beamte.

»Ja«, sagte Kayat, »Urlaub.«

»Und das da?« Der Beamte hielt die aufgerissene Packung mit den Präservativen in der Hand.

Kayat senkte schuldbewusst die Augen. »Man weiß ja nie.«

»Also gut«, sagte der Blonde, sachlich und bestimmt, »packen Sie meinetwegen wieder zusammen.« Und nach einer Weile: »Warum sind Sie denn fortgerannt?«

»Hustenanfall«, sagte Kayat, »ich habe mich beinahe übergeben.«

Peter Hunkeler, Kommissär des Kriminalkommissariats Basel, gewesener Familienvater, jetzt geschieden, saß fest im Stau auf der Johanniterbrücke. Die Dämmerung hatte bereits eingesetzt, obschon es noch nicht einmal 16 Uhr war, und um 16 Uhr 27 fuhr im Badischen Bahnhof der Intercity aus Frankfurt ein. Die Autos hatten die Lichter eingeschaltet, feiner Schnee rieselte aus dem Nebel. In Hochlagen, so hatte es der Wetterfrosch im Fernsehen vorausgesagt, war jetzt klare Sicht bis zu den Alpen. Dort oben lag ein roter Schimmer im Westen, wo die Sonne unterging, im Süden glänzten die mondweißen Schneeflanken, und bald würden die ersten Sterne aufglimmen.

Peter Hunkeler war nervös. Es war nicht die verständliche Nervosität des Zuspätkommenden, der aus eigener Schuld einen wichtigen Termin verpasst, und das Treffen im Badischen Bahnhof war enorm wichtig. Das störte Hunkeler indessen nicht grundsätzlich. Er war schon zu lange im Dienst, um sich über eigenes Versagen aufzuregen. Manchmal klappte ein Einsatz, manchmal eben nicht. Der Unterschied für ihn, den Kriminalkommissär, war nicht groß. Klappte ein Einsatz, so hielt sich das Lob der Vorgesetzten in Grenzen. Klappte ein Einsatz nicht, so hielt sich der Tadel in Grenzen. Zudem stand er wenige Jahre vor der Pensionierung. Die Rente war ihm sicher, da er Beamter war. Ein beruflicher Aufstieg war nicht mehr möglich und eine Entlassung bei so vielen Dienstjahren äußerst unwahrscheinlich.

Und das Berufsethos des Ordnungshüters, des mutigen Kämpfers für Gerechtigkeit? Das war ihm wurscht, ehrlich gesagt. Von diesem Geschwätz hatte er die Nase voll, und zwar schon lange und endgültig. Was er gesehen hatte in den langen Jahren bei der Polizei, das hatte ihm den letzten Rest seines jugendlichen Glaubens an Gerechtigkeit genommen.

Ein Verbrechen, was war das? Wenn ein armer Schlucker, geplagt und gestresst von materieller Not und seelischem Elend, bloß einmal in seinem Leben kurz durchdrehte und eine Untat beging, die er wenig später nicht mehr begriff und bitter bereute, wurde er vom Gesetz zum Unmenschen gestempelt und eingelocht. Wenn ein reicher Geldsack, der ein Dutzend Juristen an der Hand hatte und sich in den Gesetzen auskannte wie ein Fuchs in seinem Bau, jahrelang die Leute beschiss und nach Strich und Faden ausnahm, war das ein Ehrenmann. Zudem musste man ja einen Verbrecher erst einmal erwischen und überführen. Peter Hunkeler war in dieser Beziehung skeptisch. Natürlich, so pflegte er in seiner Stammbeiz Sommereck zu dozieren, natürlich ist es leicht, einen Mann zu überführen, der aus Eifersucht seine Frau erschlägt und sich anschließend auf dem nächsten Polizeiposten stellt. Aber versuche einmal, einem reichen Herrn, der auf dem Bruderholz oben wohnt in einer Villa mit Swimmingpool und zwei, drei Schafen im Garten, zu beweisen, dass er seine Millionen mit dem Waschen von Drogengeld verdient hat.

Hunkeler schaute nach rechts durch das eiserne Brückengeländer auf den Rhein. Die Wasseroberfläche schimmerte matt. Das war ein dunkles Wasser dort unten zu dieser Jahreszeit, ein kaltes Wasser, ein trübes Wasser, das da Richtung Meer trieb. Im Sommer floss es tanggrün und warm, er liebte es, an den Abenden darin zu schwimmen. Jetzt lag der Fluss wie geronnen da. Weiter oben stand quer die Mittlere Brücke, auch sie voller Autos, und dahinter ragte der Chor des Münsters in den Abend, nur noch schwach erkennbar im rieselnden Schnee.

Hunkeler schaute zu, wie die beiden Wischer Dreiecke auf die Frontscheibe drehten. Er versuchte, seiner Unruhe Herr zu werden. Er stellte den Motor ab, legte die Hände auf die Knie, schloss die Augen und atmete ruhig. Er sagte sich die Sätze vor, die er in einem Gratiskurs des Basler Polizeikorps für autogenes Training gelernt hatte. Ich bin ganz ruhig und entspannt, sagte er in gedämpftem Tonfall vor sich hin, und auch mein rechter Arm ist ganz schwer und warm. Er merkte, wie diese idiotischen Sätze zu wirken begannen, wie er aus der Außenwelt immer tiefer in seinen Körper hineinrutschte. So empfand er das. Als er ganz wegzutauchen drohte in ein angenehmes Schweben, riss er die Augen wieder auf.

Es hatte sich nichts verändert um ihn herum inzwischen, nur dass ein feiner Rieselschnee auf der Frontscheibe lag.

Im Grunde gefiel ihm dieses Festsitzen im Stau, dieses Eingeklemmtsein zwischen Vorder- und Hinterwagen, dieses allgemeine sinnlose Warten auf etwas, was demnächst geschehen sollte, was aber nie geschah. Es war ein beruhigendes Aus-dem-Verkehr-gezogen-Sein, ein Aufgehoben-Sein in der allgemeinen Versteinerung.

Als der Wagen hinter ihm hupte, schrak Peter auf. Er war doch noch eingenickt, er hatte an seine Tochter Isabelle gedacht, er hatte von der guten Zeit mit ihr geträumt, von der schönen, gescheiten, fröhlichen Isabelle, die er seit über einem Jahr nicht mehr gesehen hatte.

Er schaute in den Rückspiegel. Dahinten hockte ein Mann am Steuer, der wütend seine Arme verwarf und sich mit eindeutiger Gestik an die Stirn tippte. Peter hob entschuldigend die Achseln, was den Hintermann nur noch in heißere Weißglut trieb und zu mehrmaligem Hupen veranlasste. Dann startete er den Motor und fuhr an.

Jenseits der Brücke standen zwei ineinandergekrachte Wagen. Ein Blaulicht drehte, ein Polizist winkte Hunkeler durch.

Er kam auf die Minute genau beim Badischen Bahnhof an, parkte, stieg aus und rannte in die große Halle. Sein Kollege, Detektiv-Wachtmeister Michael Madörin, stand beim Kiosk hinter einem Gestell mit Zeitungen und gab ihm unauffällig ein Zeichen. Der große Zeiger der Uhr im Kuppelbogen oben – eine Abdankungshallen-Architektur, dachte Hunkeler – rutschte soeben auf 16 Uhr 30.

Er sah seine Männer sogleich. Haller stand bei der Fahrkartenausgabe der Deutschen Bundesbahn und rauchte seine geschwungene Luzerner Pfeife. Schneeberger las auf der Bank in der Mitte der Halle ein Buch, Korporal Lüdi studierte den beim Ausgang an die Wand geklebten Fahrplan. Keiner schaute herüber zu Hunkeler, der zum Kiosk schlenderte, um sich Zigaretten zu kaufen.

Aus dem Gang, der zu den Bahnsteigen führte, kamen die ersten Reisenden. Der Zöllner ließ sie anstandslos passieren. Ein junges Paar, das sich mit Küssen begrüßt hatte und jetzt umschlungen und offensichtlich voll der besten Hoffnung dem Ausgang zustrebte, einige Geschäftsleute mit Aktenköfferchen, die nicht links und nicht rechts schauten, eine ältere Frau, die offenbar erwartet hatte, abgeholt zu werden, und die ratlos in der Halle stehen blieb.

Dann kam Guy Kayat. Hunkeler erkannte ihn sofort, er hatte sich das Foto genau angeschaut. Es war ein junger, kräftiger Araber in hellem Kamelhaarmantel, mit einer schwarzen Ledertasche und mit seltsam steifem Gang. Er blieb stehen, schaute sich kurz um und wandte sich dann dem Ausgang zu. Ein Mann trat vom Bankschalter weg, wo er offenbar Geld gewechselt hatte, ein ziemlich dicker Mittfünfziger mit Glatze, dem man die schweizerische Biederkeit schon von weitem ansah. Er drehte sich zu Kayat hin, versuchte, ihm unauffällig zu winken, und rannte dann, als das nichts nützte, auf ihn zu.

»Das ist er«, zischte Madörin und wollte schon lospreschen. Hunkeler hielt ihn zurück. Der Glatzkopf erreichte Kayat, packte ihn am Arm und riss ihn herum. Der befreite sich, stieß den Glatzkopf weg, rief ihm etwas zu, was nicht zu verstehen war. Der Glatzkopf war verblüfft, schaute sich in der Halle um, da rannte bereits Korporal Lüdi heran. Kayat ließ seine Tasche fallen, packte den Glatzkopf und warf ihn mit erstaunlicher Kraft dem heranstürmenden Lüdi entgegen. Dann rannte er los, am Kiosk vorbei in den Gang, der zu den Toiletten führte. Hunkeler und Madörin hätten ihn wohl ohne weiteres erwischt, wenn nicht ein Ehepaar mit einem Kind und hoch beladenem Gepäckwagen um die Ecke gekommen wäre. So rannten sie bloß das Kind über den Haufen und gingen selber auch zu Boden. Hunkeler rappelte sich hoch, stieß einen kurzen, blöden Fluch aus und konnte gerade noch zusehen, wie Kayat in Richtung Herrentoiletten verschwand.

Auch Madörin war inzwischen wieder hochgekommen. »Polizei!«, schrie er, riss die Pistole heraus und spurtete zusammen mit Haller und Schneeberger den Gang hinunter.

Hunkeler verwarf entschuldigend die Hände. »Es tut mir leid«, sagte er zu den erschrockenen Eltern, »es geht hier um Diamanten. Melden Sie sich bei der Polizei.« Er sah, wie die Mutter das schreiende Kind auf die Arme nahm und zu beruhigen versuchte. Dann rannte auch er los Richtung Toilette, denn schließlich war er der Leiter der Aktion, und der Teufel mochte wissen, was dieser Madörin mit seiner Pistole anstellte.

Er kam noch rechtzeitig hin, um Haller zu stoppen, der sich eben anschickte, gedeckt von seinen Kollegen, die schießbereit ihre Pistolen vorgestreckt hielten, mit der rechten Schulter die Toilettentür einzurennen.

»Stopp!«, rief Hunkeler. »Seid ihr alle übergeschnappt?« Er wartete, bis der enttäuschte Madörin zur Seite trat, ging hin, drückte die Klinke hinunter, die Tür ging auf.

Vor ihm lag ein gekachelter Raum. Rechts zwei Lavabos, links vier Pissschüsseln, hinten waren die Kabinen. Er ging hin und klopfte an die erste Tür. Nach einer Weile ging sie auf. Ein alter Mann stand dahinter, der sich offensichtlich soeben die Hosen hochgezogen hatte. Er schlotterte vor Angst.

Hunkeler wollte sich entschuldigen, da sah er, wie Madörin nebenan mit vorgehaltener Pistole eine Tür eintrat. Hunkeler riss ihn weg und schaute hinein. Ein junger Mann saß auf der Schüssel, ein Fixer, die Spritze steckte in der linken Armbeuge. Lautlos glitt sein Oberkörper nach hinten an den Spültrog, sein Kopf senkte sich mit geschlossenen Augen auf die Brust.

In einer Kabine weiter hinten ging die Spülung. Eine Tür öffnete sich, Kayat kam heraus, sehr erstaunt über die Männer, die ihn sogleich packten. Hunkeler sah, wie sich Madörin zum Klo hinstürzte, in dem immer noch die Spülung lief, wie er sich die Jacke vom Leib riss, den Hemdärmel nach hinten streifte und die Hand bis über den Ellbogen in die Röhre hinunterstreckte. »Nichts«, sagte er.

Erdogan Civil, achtunddreißigjähriger Saisonnier aus dem türkischen Selçuk, verheiratet und Vater dreier Kinder, stand in der Garderobe der Basler Kanalarbeiter (Hochbergerstraße) unter der Dusche. Er hatte zusammen mit seinen ausländischen Kollegen sechseinhalb Stunden in den unterirdischen Röhren verbracht, teils in den hohen, drei Meter breiten Hauptleitungen, die das Abwasser der umliegenden Quartiere aufnahmen und bündelten, teils in den nicht einmal mannshohen, engen Zubringern. Er hatte über Mittag einen Imbiss zu sich genommen, den er in einer Plastiktasche mitgebracht hatte, und eine Flasche Bier getrunken. Jetzt hatte er sein Tagewerk hinter sich und spülte unter der Brause den Kanalisationsgeruch weg.

Er hätte nicht behaupten können, dieser Geruch sei ihm unangenehm. Was hieß hier schon unangenehm. Dies war eine sehr gut bezahlte Arbeit. In der Türkei verdiente ein ungelernter Arbeiter wie er, wenn er überhaupt Arbeit fand, umgerechnet rund hundert Schweizer Franken im Monat. Hier bekam er dreißigmal mehr. Er konnte mit diesem Lohn ganz gut leben und erst noch seine Familie, die er in der Türkei hatte zurücklassen müssen, samt Großeltern, Tanten und Schwägerinnen ohne weiteres am Leben erhalten. Zudem brachte er es noch fertig, pro Monat zwei-, dreihundert Franken auf die hohe Kante zu legen, je nachdem, und damit würde er sich in einigen Jahren in seinem Heimatort ein kleines Hotel mit einem Dutzend Gastbetten kaufen können. Selçuk lag neben Ephesus, der alten Griechenstadt, es wimmelte von Rucksacktouristen, welche die Ruinen besuchen und möglichst billig übernachten wollten. Erdogan würde seine Betten voll haben. Voraussetzung dafür war, hier in dieser kalten Stadt einige Jahre in den Röhren herumzukriechen, das lohnte sich schon.

Zudem war ihm aufgefallen, dass jeder Geruch eine eigene Dynamik entwickelte. Manchmal war ein Geruch ein Gestank, der einen fast zum Erbrechen zwang. Doch im Handumdrehen war er ein vertrautes Stück Heimat, das einen anheimelte und beruhigte. Man gewöhnt sich an alles, das hatte Erdogan gelernt, nur nicht an die demütigende Hoffnungslosigkeit.

Er drückte noch einmal auf den an der Wand befestigten Shampoo-Behälter, rieb sich die milchige Flüssigkeit in die Haare und achtete darauf, dass nichts davon in seine Augen rann. Er schrubbte seinen Kopf sauber, denn dort saß der Kanalgeruch porentief, er ließ das warme Wasser darüberströmen und spürte, wie sich die Wärme in seinem Körper ausbreitete. Er hörte, wie seine Kollegen nebenan in lautes Gelächter ausbrachen, sie waren bereits daran, sich umzuziehen. Erdogan war immer der Letzte unter der Dusche. Der Italiener, dachte er, der Luigi, hat wohl wieder einen dieser Witze erzählt, von einem Weib und einem geilen Mann.

Er stellte die Dusche ab, trat durch die Tür zum Umkleideraum und sah, dass der Vorarbeiter Berger zwischen den beiden Bänken stand. Das war der einzige Schweizer in ihrer Equipe, kein schlechter Chef, aber manchmal ziemlich stur, wie eben Schweizer waren. Aber dieser machte wenigstens keinen Unterschied zwischen Italienern und Türken.

»Du da«, sagte Berger und schaute zu Erdogan, »du musst noch einmal hinunter.«

»Warum ich?«, fragte Erdogan.

»Einer muss es tun«, sagte Berger, »und du bist noch nicht angezogen.«

Die anderen schwiegen, keiner schaute auf, sie waren froh, dass sie nicht dran waren.

»Ich habe eine Verabredung«, sagte Erdogan, »ich kann leider nicht.«

»Los jetzt«, sagte Berger, »der Anschluss Badischer Bahnhof ist verstopft, Schwarzwaldallee–Markgräflerstraße. Du nimmst die Rute mit, in einer halben Stunde bist du wieder hier. Das gibt eine Überstunde.«

Erdogan wusste, dass es keinen Sinn hatte zu widersprechen. Also rieb er sich trocken und stieg wieder in die Arbeitsklamotten. Er würde sich zwar bei seiner Freundin Erika verspäten, aber sie wusste, dass er ab und zu nach Feierabend seine Kollegen im Café Ankara besuchte. Zudem war eine Überstunde auch nicht schlecht.

Draußen setzte er sich auf sein Moped, stülpte den Helm über und fuhr stadteinwärts. Es war eiskalt, Schnee trieb in der Luft. Auf der Fahrbahn gegenüber rollten die Autos mit deutschen Schildern im Schritttempo der Grenze entgegen, am Steuer die Grenzgänger, die in Basel arbeiteten und im Badischen wohnten.

Als er über die Wiese fuhr, sah er, dass sie auf beiden Seiten zugefroren war, nur in der Mitte floss das Wasser frei. Fast wäre er in einen Laster gefahren, so sehr hatte ihn der Fluss abgelenkt. Es gelang ihm, noch rechtzeitig zu bremsen und das seitwärts ausbrechende Hinterrad aufzufangen.

In der Schwarzwaldallee-Röhre unten sah er sofort, was los war. Der Zubringer Badischer Bahnhof war verstopft mit schmutzigen Windeln, Klosettpapier und einem Kleidungsstück, dessen hellgrüne Farbe sich grell von den schmutzigen Papierpampers abhob.

Das Übliche, dachte er. Die Frauen gehen mit ihren Babys in die Bahnhofstoilette, wickeln sie neu und spülen das dreckige Zeug einfach hinunter. Oder sie kommen aus irgendeinem Dorf des Wiesentales angereist, kaufen in der Basler Innenstadt ein neues Kleid, ziehen es gleich an und stopfen das alte auf der Toilette des Badischen Bahnhofs ins Klo. Und sie, die Kanalarbeiter, konnten dann nach Feierabend noch einmal in die Klamotten steigen und den Schaden beheben.

Erdogan schüttelte den Kopf. Er merkte, dass er einen schweizerdeutschen Fluch ausstieß, der in der menschenleeren Röhre seltsam deplaziert klang. Er schaute um sich und leuchtete mit der Stirnlampe ein Stück des Ganges aus, durch den er gekommen war. Er sah nur eine Ratte, die sich sorgfältig die Pfoten leckte. Eigenartig, dachte er, dass ich nicht mehr türkisch fluche.

Er stieß die Rute in den verstopften Zubringer, aber der Pfropfen saß fest. Er griff hinein und zerrte am grünen Kleid. Beinahe wäre er hintenübergestürzt, konnte sich aber mit zwei schnellen Schritten auffangen. Wieder fluchte er, diesmal auf Türkisch. Er stieß die Rute aufs Neue hinein, verbissen jetzt und tiefer, er sah, wie dunkles Wasser herauszutropfen begann. Er stieß nach, bohrte die Rute über einen Meter weit hinein und riss den ganzen, kompakten Pfropfen Zentimeter um Zentimeter heraus. Das Zeug klatschte auf den Boden. Er trat zur Seite, um dem nachfolgenden Wasserschwall auszuweichen.

Als das Wasser versiegte, stieß er die Rute noch einmal in den Unrat am Boden, um ihn ins tiefere Wasser zu schieben, damit er weggeschwemmt würde. Er sah ein zerrissenes Präservativ liegen, daneben funkelte etwas im Schein der Stirnlampe.

Diese Arschlöcher, dachte Erdogan, jetzt werfen sie auch noch Gläser ins Klo.

Es war schon vorgekommen, dass er Brillen herausgefischt hatte, manchmal sogar völlig intakte. Aber das, was da am Boden glänzte, sah nicht aus wie eine Brillenscherbe. Das sah eher wie ein Glaskiesel aus. Als er genauer hinleuchtete, sah er noch mehr solche Kiesel herumliegen.

Er beugte sich nieder und nahm einen auf. Der Kiesel war ungefähr so groß wie ein Wassertropfen. Er hatte Kanten und klare Flächen, und als er ihn mit dem Taschentuch saubergerieben hatte und genau vor den Strahl der Lampe hielt, sah er, dass darin ein bläuliches Feuer aufblitzte.

Erdogan erschrak. Er wickelte den Kiesel ins Taschentuch und steckte dieses in die Seitentasche seines wasserfesten Overalls. Dann schaute er um sich. Nichts war zu hören als das Tropfen und Rieseln des Wassers, und von oben drang das ferne Rauschen des Verkehrs herab. Er leuchtete mit der Laterne links und rechts die Röhre aus. Niemand war da außer der Ratte, die sich noch immer putzte.

Erdogan spürte sein Herz pochen, es schlug bis in den Hals hinauf. Das war ein Diamant, das war ihm sofort klar. Und hier vor ihm in diesem nassen Unrat lagen noch weitere Diamanten. Aber wo waren die Leute, die sie verloren hatten?

Er bückte sich und stocherte im Haufen herum. Er

kniete sich hin und fing an, was da glänzte, einzusammeln. Er arbeitete schnell, aber ohne Hektik. Er durchsuchte alles, drehte jedes Papier um und jede Zigarettenkippe, durchwühlte systematisch die Fetzen des grünen Kleides und schritt einige Dutzend Meter der Röhre in Richtung des abfließenden Wassers ab. Er leuchtete in den Zubringer des Badischen Bahnhofs hinein, schabte heraus, was dort noch lag, und fand zwei weitere Steine. Als er sicher war, dass ihm keiner entgangen war, reihte er alle in gerader Linie auf dem trockenen Röhrenrand auf und zählte sie.

Es waren zweiundvierzig große, bläulich schimmernde Brillanten. Er hatte sie gefunden, und niemand hatte ihn gesehen. Er wickelte sie ins Taschentuch, steckte dieses ein, nahm sein Werkzeug von der Wand, wo er es angelehnt hatte, und machte sich auf den Rückweg.

Erika Waldis, zweiundfünfzigjährige Innerschweizerin aus Weggis an der Rigi, ledig, ziemlich dick, saß an der Kasse des Einkaufszentrums Burgfelderstraße und tippte die Preise der Waren ein, die das schwarze Fließband in Griffnähe schob. Obschon Hochbetrieb war, tat sie das mit langsamen, sicheren Bewegungen. Die meisten Preise kannte sie längst auswendig. Nur das Gemüse und Obst, die Käse- und Fleischprodukte hielt sie sich kurz vor die Augen, las ab, was sie kosteten, und legte sie dann in den bereitstehenden Einkaufswagen. Wenn die Maschine alles zusammengerechnet hatte, nannte sie den Betrag, wartete, bis die Kundin oder der Kunde einen Geldschein hervorgesucht hatte, und gab das Restgeld heraus. Das waren die kurzen Momente, in denen sie den Rücken durchstrecken, den Blick heben und die Kundschaft anlächeln konnte. Sie kannte einen großen Teil der Leute vom Sehen, sie war sehr beliebt. Denn sie ließ sich nie aus der Ruhe bringen und gab sich Mühe, auch die andern nicht aus der Ruhe zu bringen. Zeit hatte sie genug, nämlich achteinhalb Stunden pro Tag, so lange arbeitete sie. Es hatte überhaupt keinen Sinn zu hetzen. Schließlich ging es hier in erster Linie um Lebensmittel, um das Kochen und um das Essen, und damit, so dachte Erika, muss man sich Zeit lassen.

Am liebsten tat sie ihren Dienst in den flauen Stunden morgens um neun und nachmittags um drei, wenn das riesige Areal des Einkaufsparadieses fast menschenleer war. Dann lag ein eigentümlicher Charme über den Regalen, ein Duft nach schöner, heiler Welt, in der im Grunde nichts Schlimmes geschehen konnte, da ja genügend zu essen da war, und alles gesunde, vollwertige Nahrung. Es gab zum Beispiel mehr als zwölf Sorten Brot im Sortiment, solches mit Sojamehl drin, mit Weizenkleie und Dinkel. Es gab verschiedene Joghurtsorten, mit und ohne Früchte, aus Vollmilch hergestellt oder teilweise entrahmt. Es gab sogar seit kurzem Kartoffeln aus biologischem Anbau, ein bisschen teurer als normale, aber immer noch billig. Hungern musste hier niemand.

Die alten Frauen und Männer, die zu diesen flauen Stunden einkauften, bediente Erika aufs höflichste. Sie konnte am Inhalt der Einkaufswagen abschätzen, wer nur von der AHV leben musste und wer noch eine Zusatzrente hatte. Sie wartete mit freundlichem Blick, bis die alten Leute ihr

Portemonnaie hervorgesucht hatten. Sie schaute geduldig zu, wie sie den geforderten Betrag möglichst genau in Scheinen und Kleingeld abzählten, sie streckten niemals große Scheine hin, sie trennten sich ungern von ihnen.

Auch die Asylanten bediente sie gern, die Tamilen, die alle im Block nebenan lebten. Das waren moderne, teure Wohnungen, aber die Wohnungsnot war so groß, dass die Stadt den halben Block für Asylanten gemietet hatte. Erika wusste, dass die zierlichen braunen Männer mit dem pechschwarzen Haar zu dritt und zu viert in jenen Zimmern wohnten, zwölf Männer in einer Dreizimmerwohnung. Sie verstanden meist kein Wort Deutsch, und Erika, die neben Deutsch bloß noch Französisch konnte, da sie ein Jahr lang Kinder im Welschland gehütet hatte, hatte alle Mühe, sich mit ihnen zu verständigen.

Es kam auch vor, dass eine eben erst aus dem Balkan oder aus Anatolien eingereiste Ausländerin den bis über den Rand gefüllten Einkaufswagen heranschob und alles mit zwanzig Franken bezahlen wollte, in der Meinung, zwanzig Franken seien ja, umgerechnet in ihre Heimatwährung, sehr viel Geld. Dann musste Erika erklären, dass zwanzig Franken in der Schweiz nicht viel, sondern wenig Geld waren und dass dafür nur ein Bruchteil der eingesammelten Waren zu kaufen war. Auch das machte sie behutsam und so, dass sich niemand bloßgestellt fühlte.

An diesem Abend herrschte an der Kasse die übliche Wortlosigkeit. Die Kundschaft wartete in mehreren meterlangen Schlangen, Frauen und Männer, die vor Ladenschluss noch schnell etwas einkaufen wollten. Keine unfreundlichen Leute, aber müde Leute, Leute ohne viel Zeit.

Da es auf das Monatsende zuging und die Löhne noch nicht ausbezahlt waren, lagen in den Wagen vor allem Konserven, Teigwaren und Würste und wenig Frischfleisch. Dies war keine reiche Gegend hier, an der Burgfelderstraße wohnten Leute, die zu sparen und zu sorgen hatten, Leute wie Erika selber. Ihr gefiel das, sie fühlte sich heimisch.

Als zwei fremdländisch aussehende junge Männer vor der Kasse standen, die sie auf den ersten Blick als Türken erkannte, sagte sie: »Güle güle.« Sie lächelte fast vertraulich, als die beiden ihren Gruß erwiderten, und sie ließ sich überhaupt nicht stören, als sie die erstaunten Blicke der anderen spürte.

Das Polizeiauto fuhr auf den Parkplatz des Lohnhofs. Am Steuer saß Wachtmeister Madörin, daneben Kommissär Hunkeler. Auf dem Rücksitz hatten sich Korporal Lüdi, Kayat und der glatzköpfige Schweizer zusammengedrängt, die beiden Letzteren trugen Handschellen. Zudem waren die hinteren Türen gesichert. An ein Entkommen war also nicht zu denken, auch wenn einer versucht hätte, aus dem fahrenden Auto zu springen.

Das Blaulicht war nicht eingeschaltet, das hätte beim abendlichen Stoßverkehr nicht viel genützt. Zudem war von ganz oben die Devise ausgegeben worden, möglichst wenig Aufsehen zu erregen. Die Polizei stand in dieser Stadt seit den Jugendunruhen nicht mehr hoch im Kurs, und je unauffälliger ein Auftrag durchgeführt werden konnte, desto besser.

Auf der Fahrt war nur wenig gesprochen worden. Kayat hatte geschwiegen, als ob ihn das Ganze überhaupt nichts anginge. Nur der Glatzkopf hatte anfangs lauthals protestiert und etwas von Schweinerei, Skandal und Polizeistaat gefaselt. Da er neben der Tür saß, hatte er einmal mit aller Kraft am Griff herumgeriegelt, um sie aufzustoßen. Als aber keiner im Wagen, auch Kayat nicht, den Kopf nach ihm umwandte, ließ er es bleiben und fügte sich.

Hunkeler hasste diese wortlosen Dienstfahrten. Er hatte hintereinander zwei Zigaretten geraucht, was ihn schon beim Anzünden geärgert hatte. Denn er wusste, dass er diese blödsinnige Raucherei überhaupt nicht mehr vertrug, er war zu alt geworden dafür. Er hatte schon mehrmals vergeblich versucht, damit aufzuhören, und jetzt schien es ihm, er sei zu alt geworden fürs Aufhören.

Bei der Fahrt über die Wettsteinbrücke ins Großbasel blickte er zum nahen Münsterchor hinüber, der hoch über dem Rhein stand. Das Dach war jetzt weiß verschneit, es schimmerte unwirklich hell durch die Dunkelheit.

Als das Auto vor dem Lohnhof anhielt, entriegelte er die hinteren Türen und stieg aus. Er schaute zu, wie Kayat und der Glatzkopf herauskrochen. Kayat hielt sich gut, wie ein Gentleman. Der andere war fahl im Gesicht. Offenbar hatte er Angst. Madörin stand daneben, lauernd wie ein Hund. Dass er nicht bellte, war eigentlich verwunderlich.

Auf dem Vorplatz war es ruhig. Durch den Laternenschein glitten die Flocken, die größer geworden waren. Die Leonhardskirche stand feierlich da, spätgotisches Filigran hinter den kahlen Linden. Ostwärts lagen die Giebel der alten Stadt.

Peter Hunkeler wusste, was jetzt kam. Sie würden hineingehen ins Büro, sie würden Fragen stellen, immer wieder die gleichen, sie würden sich gegenseitig anöden, und selbstverständlich würde keiner der beiden etwas von Diamanten wissen. Wenn Kayat sie tatsächlich bei sich gehabt hatte, lagen sie in der Kanalisation. Dort mochte sie suchen, wer wollte. Hunkeler wollte nicht.

»Bitte sehr, meine Herren«, sagte er, »darf ich Sie bitten?« Er ging voraus durch das spitzgieblige Tor, das wie ein Klostereingang aussah, das ihn aber an Angstschweiß, Geschrei und Schläge erinnerte, an Nervenzusammenbrüche und an Menschen, die sich an den Gitterstäben der kleinen Fenster erhängt hatten. Er winkte im Vorbeigehen dem alten Pförtner zu, der hinter dem Fenster über einem Kreuzworträtsel hockte. Vermutlich schlief er, das war nicht genau auszumachen, er hatte den Kopf in die aufgestützten Hände gelegt und die Augen geschlossen. Vielleicht dachte er auch nur über ein Wort mit fünf Buchstaben nach, das mit einem K anfing und als dritten Buchstaben ein A hatte.

Sie kamen in den Innenhof des Untersuchungsgefängnisses. Der Bau mit den zwei grauen Flügeln war über hundert Jahre alt, er war dauernd überbelegt von Kleindealern und Beschaffungsdelinquenten, die alten Frauen die Handtasche entrissen hatten. Hinter einigen der vergitterten Fenster brannte Licht.

Sie stiegen eine Treppe hoch und betraten Hunkelers Büro. Lüdi nahm den beiden die Handschellen ab und bat sie, sich zu setzen. Der Glatzkopf verlangte einen Anwalt, was Lüdi mit einem üblen Grinsen quittierte. »Alles mit der Ruhe«, sagte er, »Sie bekommen Ihren Anwalt noch früh genug.«

Hunkeler trat auf den Flur hinaus und holte am Automaten einen Becher Kaffee. Er schlürfte ihn im Stehen und überlegte, ob er sich wieder eine anzünden sollte. Er war müde, und was sich hier abspielte, ödete ihn so sehr an, dass er sich einen Moment lang gegen die Wand lehnen musste. Er hatte das Gefühl zu fallen, sich gleich flach hinlegen zu müssen, er wollte das alles nicht mehr sehen.

Da trat aus einem der Räume weiter hinten Staatsanwalt Suter auf den Flur hinaus und kam auf ihn zu. »Und«, fragte er, »was ist mit den Diamanten?«

Hunkeler zuckte mit den Achseln.

»Was wollen Sie damit sagen?«, fragte Suter, als ob er keine Ahnung gehabt hätte, was dieses Achselzucken bedeuten könnte.

»Wir haben sie nicht«, sagte Hunkeler, »es ist nicht meine Schuld.«

»Wir setzen fünf Mann ein«, sagte Suter und machte ein empörtes Gesicht, obschon ihn diese Diamantengeschichte überhaupt noch nichts anging, »und sie finden nichts? Die deutsche Kripo meldet uns zuverlässig, dass ein Kurier der Beirut Connection mit Drogenerlös in Form von Brillanten mit dem Intercity von Frankfurt nach Basel Badischer Bahnhof fährt, Sie stehen dort und finden nichts?«

Hunkeler nahm einen Schluck vom immer noch zu heißen Kaffee. Er wusste, dass er dieses Gerede über sich ergehen lassen musste, und er versuchte, einigermaßen schuldbewusst dreinzuschauen.

»Und der Kurier?«, fragte Suter und setzte zum entscheidenden Schlag an. »Was ist mit dem? Wie heißt er schon wieder?«

»Kayat«, sagte Hunkeler, »er ist da drin, zusammen mit einem Schweizer, dessen Identität noch nicht feststeht.«

»Na also«, sagte Suter und plusterte sich jetzt richtig auf, »befragen Sie die beiden endlich, pressen Sie sie aus. Wir brauchen Resultate.«

Er wandte sich ab und rauschte davon, die Treppe hinunter.

Hunkeler warf den noch halbvollen Kaffeebecher in den Plastikeimer und ging zurück ins Büro. Lüdi war verschwunden, aber Schneeberger war da und untersuchte den Libanesen, der sich bis auf die Unterhosen ausgezogen hatte. Madörin hatte die schwarze Reisetasche auf den Tisch gestellt und holte Wäschestück nach Wäschestück hervor. Er schüttelte jedes einzeln aus, strich es auf dem Tisch glatt, um zu prüfen, ob irgendetwas Hartes darin eingenäht war. Er legte eines auf das andere wie eine vorbildliche Büglerin. Dazu grinste er, als ob ihm das Spaß machen würde.

Er zog die aufgerissene Präservativpackung hervor, grinste wieder und riss jeden einzelnen Pariser heraus. Er zählte sie. »Neun Stück«, sagte er, »und wo ist der zehnte?«

»Ich brauche hin und wieder einen Pariser«, sagte Kayat entschuldigend, »ich bin ein vorsichtiger Mann.«

»In der Eisenbahn?«, bellte Madörin.

»Das ist meine Privatsphäre«, sagte Kayat, »das geht Sie nichts an.«

»Die Weiber scheinen Ihnen ja nur so nachzulaufen, was?«, giftete Madörin. »Bei Ihrem Aussehen.«

»Das ist Rassismus«, konterte Kayat kühl, »passen Sie auf, was Sie sagen, sonst werde ich mich beschweren.«

Madörin war nahe daran zu explodieren. Aber er beherrschte sich, wandte sich ab und trat zu Schneeberger. »Und?«, fragte er.

»Nichts«, sagte Schneeberger, und zu Kayat gewandt: »Sie können sich wieder anziehen.«

Lüdi kam herein, pflanzte sich vor den Glatzkopf hin und sagte: »Sie heißen Anton Huber, sind 1938 geboren, arbeiten als Chauffeur und sind vorbestraft wegen 2,1 Promille am Steuer.«

»Das war vor mehr als neun Jahren«, antwortete Huber, »nach zehn Jahren ist so etwas verjährt. Was hat das mit meiner Verhaftung zu tun?«

»Warum sind Sie in der Halle des Badischen Bahnhofs auf diesen Herrn hier losgerannt?«, fragte Lüdi und zeigte auf Kayat. »Warum haben Sie ihn am Arm gerissen?«

»Was habe ich?«, fragte Huber blöd. »Können Sie das beweisen?«

»Darf ich jetzt endlich gehen?«, fragte Kayat. »Ich habe eine Verabredung.«

»Vergessen Sie die Pariser nicht«, sagte Madörin, »und seien Sie ja vorsichtig.«

Hunkeler trat zum Tisch, drückte im Aschenbecher die Zigarette aus, die er nur zur Hälfte geraucht hatte, und schaute in die leere Reisetasche. Am Boden glänzte etwas wie trockener Schneckenschleim, als ob dort etwas geleimt und wieder weggerissen worden wäre. Er griff hinein und fuhr mit der Fingerbeere darüber. Ganz klar, da war etwas gewesen, das jetzt fehlte.

»Haben Sie die Steine hier drin gehabt?«, fragte er bedächtig, als ob er sich nach dem Wetter erkundigen würde.

»Von was reden Sie eigentlich«, sagte Kayat, »hören Sie doch endlich auf mit diesem Unsinn. Ich bin als ganz normaler Tourist in die Schweiz eingereist, und ich möchte als ganz normaler Tourist hier meine Zeit verbringen. Begreifen Sie denn das nicht?«

»Ihr Name steht in unserem Computer«, sagte Hunkeler. »Sie sind zwar nicht vorbestraft, aber verdächtig sind Sie schon lange. Sie werden verdächtigt, ein Drogenkurier zu sein, ein Kurier von Drogen und von Drogenerlös. Wir möchten wissen, in wessen Auftrag Sie ein- und ausreisen, wer Ihr Auftraggeber ist. Wir möchten diesen Auftraggeber fassen und vor Gericht stellen, weil wir der Meinung sind, man könne das Drogenproblem nicht von unten, von der Straße her also, lösen, sondern nur von oben, vom Engros-Drogenhandel her. Wir wollen die Leute verhaften und vor Gericht stellen, die an den kleinen Fixern Millionen verdienen. Verstehen Sie?«

Kayat hatte interessiert zugehört. »Ja«, sagte er, »das verstehe ich gut. Und ich bin ganz einverstanden mit Ihnen. Aber warum erzählen Sie das mir?«

»Sie sind nur ein kleiner, dreckiger Kurier«, sagte Hunkeler, »eine miese Kanalratte, die aus Schiss Diamanten im Wert von über einer Million Franken in die Kanalisation spült.«

»Das ist eine Beleidigung«, sagte Kayat, »Rassismus und Beleidigungen, was soll das?«

»Sie verschwinden jetzt am besten«, sagte Hunkeler zu Huber. »Und Sie«, er stellte sich ganz nahe vor Kayat hin,

»Sie bleiben jetzt noch ein bisschen hier, schlucken ein Abführmittel und scheißen Ihren ganzen verdammten Darm leer.«

Er drehte sich um und ging hinaus.

Erika Waldis stand auf der Traminsel und wartete auf den Einer. Da es in großen, nassen Flocken schneite, hatte sie den Schirm aufgespannt. Der Schnee segelte durch das Licht der Straßenlaterne, legte sich auf den Asphalt und zerrann. Leintücher, dachte Erika, es schneit Leintücher herunter.

In der rechten Hand trug sie die Einkaufstasche mit Brot, Milch und einer Mettwurst. Obschon sie in der Filiale, wo sie arbeitete, nicht bar bezahlen musste, sondern anschreiben lassen konnte und erst noch Prozente erhielt, hütete sie sich, zu viel und zu teuer einzukaufen, denn bezahlen musste sie schlussendlich doch, und ihr Geld war knapp.

Sie hatte seit über einem Jahr aufgehört, kiloweise Schokolade heimzutragen. Schokolade aß sie nur, wenn es ihr schlechtging. Dann stopfte sie die braunen Riegel hemmungslos in sich hinein, mit schlechtem Gewissen zwar, aber auch mit seltsam lustvollen Rachegefühlen, bis sie ermattet aufs Kanapee sank, sich einrollte und in einen kurzen, traumlosen Schlaf fiel.

Jetzt ging es ihr gut. Sie freute sich auf den Krimi, den sie nach der Tagesschau im Zweiten Deutschen anschauen würden, sie freute sich auf das warme Bett.

Als das grüne Tram klingelnd über die Kreuzung gefahren kam und anhielt, stieg sie ein. Es war keine schlechte Zeit zum Tramfahren, 19 Uhr, der Stoßverkehr war vorüber, der Wagen halbleer. Das war angenehm, sie hätte jetzt nicht stehen wollen, sie war zu müde. Am Morgen um halb acht war es ihr egal. Dann schlief sie noch halb, und sie spürte die fremden Leiber, zwischen die sie sich beim Einsteigen drängte, kaum.

Erika setzte sich auf einen Einzelsitz, lehnte den geschlossenen Schirm gegen die Wand, damit er abtropfen konnte, und stellte sich die Tasche auf die Schenkel. Sie schaute zu, wie der Wagen anfuhr. Keiner der Fahrgäste sagte ein Wort, alle dösten. Trotzdem fühlte sich Erika wie in einer Familie. Sie hätte nicht allein in einem Auto sitzen und von einem Rotlicht zum nächsten Rotlicht rollen wollen, sie hätte sich einsam gefühlt. Zudem hatte sie keinen Führerschein. Und überhaupt, wo hätte sie ein Auto hinstellen sollen? Die Parkplätze in der Lörracherstraße, wo sie wohnte, waren stets besetzt.

Sie schaute zum Kannenfeldpark hinüber, auf die verschneiten Bäume, deren Äste bis auf den Boden gedrückt wurden. Einige würden brechen, wenn es so weiterschneite.

Das Tram fuhr zum Voltaplatz hinunter. Auf der Kreuzung standen die schweren Überlandlaster, die sich gegenseitig den Weg versperrten. Der Tramführer musste mehrere Minuten warten, bis er anfahren konnte. Das war jeden Abend und jeden Morgen so. Manchmal war auch ein Lastwagen ihres Lebensmittelkonzerns dabei, und sie versuchte dann, dem Mann in der Führerkabine zu winken.

Auf der Dreirosenbrücke rollte das Tram fast lautlos

über die Schienen. Zur linken Seite standen die hohen hellen Gebäude der chemischen Fabriken. Ihre Fenster waren beleuchtet, die Menschen dort drin arbeiteten Schicht.

Das Fahren über dem Wasser gefiel Erika jedes Mal ausnehmend gut. Am schönsten war es in den Sommermonaten am Morgen, wenn die Sonne bereits über dem Fluss stand. Dann sah man in der Rheinkurve weiter oben die Mittlere Brücke und die beiden Münstertürme und dahinter die grünen Hügel des Juras stehen. Das erinnerte daran, dass Basel eine schöne, alte Stadt war, und man dachte an Ferien.

Jetzt war nichts zu sehen. Es war zu dunkel, und der Schnee in der Luft versperrte die Sicht. Trotzdem wischte Erika mit dem Ärmel über die angelaufene Scheibe und legte die Stirn gegen das kalte Glas. An Ostern, dachte sie, an Ostern hatte sie eine Woche Ferien. Sie hatte vor, mit ihrem Freund Erdogan nach Magliaso zu fahren. Sie hatte diesen Ort am Luganersee ausgesucht, weil sie früher einmal mit der Jungwacht dort in einem Ferienlager gewesen war, und es kam ihr noch heute vor, als wäre das die schönste Zeit ihres Lebens gewesen. Es war Herbst gewesen damals, die Wälder waren gelb und rot gewesen und die Kastanien reif, die Kirchenglocken hatten zu jeder vollen Stunde von Figino über den See herübergebimmelt, und sie hatte während der ganzen zwei Wochen nichts anderes zu tun gehabt, als am Abend kurz beim Abwaschen zu helfen.

Sie hatte Erdogan Magliaso vorgeschlagen, als sie davon sprachen, eine Woche wegzufahren. Und sie hatte zum ersten Mal, seit sie sich kannten, insistiert. Er hatte anfangs nicht eingesehen, warum sie verreisen wollte, ihm hätte es auch in Basel gefallen. Aber irgendeinmal wollte sie ihn einige Tage für sich allein haben. Schließlich war sie hier in der Schweiz seine Frau, und er war ihr Mann. Basta.

Im April würde er dann ohnehin für drei Monate in die Türkei fahren. Das musste er tun, er war Saisonnier. Und Saisonniers durften nur neun Monate pro Jahr in der Schweiz bleiben, sie durften niemanden mitnehmen, weder Frau noch Kind. Das fand Erika eigentlich hart, aber in diesem speziellen Fall hatte sie nichts dagegen.

Auf der Reise ins Tessin, so hatte sie es geplant, würden sie einen Abstecher nach Weggis machen und die Mutter besuchen. Das wollte Erika so haben, unbedingt, es gab da keine Widerrede. Sie würde Erdogan der Mutter als ihren Verlobten vorstellen, mit dem sie zusammenlebte, obschon sie noch immer nicht verheiratet waren. Aber eine Heirat war, so würde sie behaupten, mit einem türkischen Staatsangehörigen, der erst noch Muslim war, äußerst schwierig. Und die Hauptsache war doch, dass man sich liebte.

Dass Erdogan in der Türkei eine Ehefrau und drei Kinder hatte, brauchte in Weggis niemand zu wissen. Die Türkei war schließlich unendlich weit weg.

Erika dachte, sie habe Glück. Nicht ein so großes, einmaliges Glück zwar, wie es die Prinzessinnen und Filmstars hatten, von denen sie in den Frauenzeitschriften las, aber immerhin eines von währschafter Handlichkeit, so wie sie es sich stets gewünscht hatte. Wenn es nur so blieb, wie es war, das war ihre einzige Sorge. Und sie war entschlossen, dafür zu sorgen, dass es so blieb.

An der ersten Haltestelle jenseits des Flusses stieg sie aus, spannte den Schirm auf und ging durch die Breisacher-straße zum Haus an der Lörracherstraße, wo sie wohnte. Es war ein Altbau aus Backsteinen, wie die umliegenden Häuser auch, vor Jahrzehnten hingestellt für Arbeiterfamilien, inzwischen einigermaßen verwahrlost und billig im Zins. Es wohnten vor allem Ausländer hier, sogenannte Gastarbeiter, einige mit ihren Familien, andere mit Kollegen. Es wurde wenig Schweizerdeutsch geredet, und auf der Straße unten waren türkische und italienische Geschäfte.

Erika öffnete die schwere Holztür zum Durchgang, der in den Hinterhof führte. Dort hinten stand die Schreinerei mit dem Glasdach und den Bretterbeigen. Es roch nach gesägtem Holz, und morgens um sieben war das Kreischen der Bandsäge zu hören, das Hämmern und manchmal das Rufen der Arbeiter.

Die Briefkästen, die links an der Wand des Durchgangs hingen, waren vollgestopft mit Prospekten und Gratisanzeigern. Sie waren seit Tagen nicht geleert worden. Hier las niemand Deutsch, hier erwartete kaum jemand einen Brief. Einiges war zu Boden gefallen. Erika schüttelte tadelnd den Kopf. Am Sonntagmorgen würde sie hier aufräumen, am Sonntag hatte sie Zeit. Sie öffnete ihren Briefkasten, nahm den Inhalt heraus, schloss wieder ab, betrat den Gang links und stieg die Treppe hoch in ihre Wohnung.

Erdogan war nicht zu Hause. Sie stellte den Schirm in das alte Butterfass, das sie von der Großmutter geerbt hatte, hängte den Mantel auf, schaute kurz die Post durch und warf sie in den Abfalleimer. Dann tippte sie einige Male ans Aquarium auf dem Buffet, um dem Goldfisch anzuzeigen, dass sie heimgekommen war. Sie streute Futter aufs Wasser und schaute zu, wie der Fisch sogleich hochkam und zu fressen anfing. Sie setzte Wasser auf, um Pfefferminztee zu kochen, legte das Brot und die Mettwurst auf den niedrigen Tisch vor dem Kanapee, schaltete den Fernseher an und begann zu essen.

Als der Krimi seinem Ende zuging, war Erika eingeschlafen. Sie hörte, halb noch im Traum, die Wohnungstür, sie vernahm Schritte und öffnete die Augen. Vor ihr stand Erdogan in verschneitem Hut und Mantel. Schmelzwasser tropfte von seinen Ärmeln. Das schien ihn überhaupt nicht zu stören.

Erika setzte sich auf. Sie wollte schon zu schimpfen anfangen über die vielen Wassertropfen auf dem Spannteppich, über die nassen Abdrücke der Männerschuhe. Dann sah sie, dass Erdogan ihr ein offenes Taschentuch entgegenstreckte. In diesem Taschentuch drin lag eine Handvoll Diamanten. Das sah sie sogleich, obschon ihr noch nie in ihrem Leben so große Diamanten unter die Augen gekommen waren.

»Woher hast du die?«, fragte sie, plötzlich hellwach.

»Gefunden«, flüsterte er, »in der Röhre.«

»Wem gehören die?«

»Es hat mich niemand gesehen. Sie gehören mir.«

Erika erhob sich, ging zum Fernseher und schaltete ihn ab. Dann fasste sie im Nacken ihr volles blondes Haar zusammen, das sie zu Hause offen trug, bündelte es und zog es nach vorn über die linke Schulter. Sie stellte sich vor Erdogan hin, nahm das Taschentuch sorgfältig in beide Hände, setzte sich wieder und ließ die blitzenden Steine langsam durcheinanderrieseln.

»Wie Silberkiesel«, sagte sie leise, »wie leuchtende Wassertropfen.«

Sie legte das Taschentuch behutsam auf den Tisch neben die Mettwurst, schob diese zur Seite an den Rand, nahm die Steine einzeln heraus und legte sie einen nach dem andern hin, so dass sie einen Kreis bildeten.

Erdogan, der Hut und Mantel abgelegt und an der Garderobe aufgehängt hatte, kam langsam, beinahe scheu heran und setzte sich neben sie.

»Daraus wird nichts«, sagte Erika nach einer Weile, »die gehören jemandem.«

»Sie gehören mir«, widersprach Erdogan, »ich bin jetzt ein reicher Mann und kein Scheißdreckputzer mehr, kein Arschloch mehr, kein Scheißtürk mehr. Und du bist eine reiche Frau.«

Erika legte ihr Haar wieder nach hinten. Dann erhob sie sich, ging zum Fenster, schaute auf den Hof hinunter und zog dann den Vorhang zu.

»Schließ die Wohnungstür ab«, sagte sie, und nach einer Weile: »Wir haben es doch schön gehabt zusammen bis jetzt, oder nicht?«

Peter Hunkeler stieg die Treppe zum Barfüßerplatz hinunter. Er hatte die Nase voll, er musste jetzt ein Bier haben, und zwar schnell. Dieser Geruch nach verhocktem Zigarettenrauch und abgestandenem Kaffee in kalten Pappbechern, diese auftrumpfende Hektik und Besserwisserei, diese fetten Ärsche in den Polizeihosen, diese antiseptisch sauber gereinigten Flure und diese Gitterfenster, aus denen die Verzweiflung tropfte und die grauen Wände nässte und mit Schimmel überzog, er ertrug das alles nicht mehr. Wer war er denn? Ein Menschenvernichter, ein Leuteeinsperrer, ein gedrillter Wachhund, der auf jeden Wink von oben zubiss?

Aber nein. Er war ein sensibler Naturfreund, der nichts so liebte wie seine alte Hütte im nahen Elsass, ein Vogelkenner, der den Ruf des Hausrotschwanz-Männchens von dem des Gartenrotschwanz-Männchens ohne weiteres auf Anhieb unterscheiden konnte. Die Katzen des ganzen Dorfes liefen herbei, wenn sie den Motor seines Autos hörten. Sie wussten: Bei Peter war es gut, bei Peter wurde man gestreichelt, bei Peter gab es Büchsenfleisch.

Warum war er denn bei diesem einfältigen Männertrupp engagiert, warum hatte er sich lebenslang anstellen lassen? Die Polizei, dein Freund und Helfer: Über diesen blödsinnigen Werbespruch, den sich irgendein versoffener Texter aus den Fingern gesogen hatte, konnte er nicht einmal mehr grinsen. Der war schlicht und einfach falsch. Wann hatte er in seiner langjährigen Laufbahn einem Menschen in Not helfen können, wann war er einer dieser abgewrackten Gestalten, von denen es in dieser Stadt jeden Tag mehr zu geben schien, als Freund erschienen? Privat ja, doch, da hätte er einige aufzählen können, die er aus dem Dreck herauszuziehen versucht hatte. Aber beruflich? Er wusste niemand.

Der Beruf, mit dem er sein Geld verdiente, bestand aus Aufspüren, Abpassen, Verhaften, Überführen und Einsperren. Die kleinen Dealer hereinnehmen für eine Nacht hinter Schloss und Riegel, die ausgemergelten bleichen Burschen, die sich mit dem Weiterverkauf von einigen Gramm Heroin ihren eigenen Schuss zu finanzieren versuchten, das war sein Job. Er wusste so gut wie seine Kollegen, dass die Junkies im Knast Höllenqualen litten, wenn sie auf dem Aff waren. Aber das war die von oben geplante und beabsichtigte Strafe für die Sucht. Oder die Strichmädchen mit den Porzellangesichtern schikanieren, die man schon von weitem erkannte, wenn man Polizist war, das war seine Arbeit, abgesegnet von oben.

Korporal Lüdi zum Beispiel, der wackere Polizeimann, war richtig versessen darauf, die Drögeler in flagranti zu ertappen. Hunkeler hatte ihm vor einigen Tagen in der Rheingasse zugeschaut, wie er einem am Boden hockenden Burschen die Spritze aus der Armvene riss. War das vielleicht auch mit dem Segen von oben geschehen? Und was waren das überhaupt für Leute da oben?

Gewiss, es gab Gassenzimmer und Fixerstübli, wo sterile Spritzen erhältlich waren und ein geheizter Raum zur Verfügung stand. Aber erstens wusste niemand, wie lange es diese Einrichtungen nach dem kürzlichen politischen Rechtsrutsch noch geben würde, und zweitens waren sie keine grundlegende Lösung. Das Hauptproblem, das wusste Hunkeler schon lange, war die Kriminalisierung des Heroins. Solange Heroin nicht frei und zu einem vernünftigen Preis erhältlich war, würde es auch das Fixerelend geben.

Warum aber war das Heroin nicht frei erhältlich? Die Antwort war klar: Weil es mächtige Leute gab, die am Heroin verdienen wollten. Und verdienen konnten sie nur, wenn der Stoff verboten war. Sobald man sich in der nächsten Apotheke einen Schuss kaufen konnte wie eine Flasche Bier im Spezereiladen, würde der Preis fallen, denn Heroin war an sich billig herzustellen.

Wenn man aber daranging, die Hintermänner des Drogenhandels aufzuspüren und ans Licht zu zerren, diejenigen also, die an den Fixerinnen und Fixern verdienten, indem sie den verbotenen Stoff einführten und das damit verdiente Geld auf allerlei krumme Touren in saubere, harte Schweizer Franken umwandelten, stieß man ins Leere. Niemand war schuld, niemand wusste etwas, die hatten alle saubere Hände. Und wurde man dabei plötzlich verbissen und reaktivierte den alten, schon fast verlorengeglaubten Jägerinstinkt, wurde man von oben zurückgepfiffen. Denn das waren alles Ehrenmänner und wertvolle Stützen der Gesellschaft und Verwaltungsräte und Duzfreunde von Staatsanwälten und Farbenbrüder von Nationalräten, und es war ehrverletzend und beschämend, solchen wertvollen Honoratioren auf den Pelz zu rücken.

Selbstverständlich war dieser Kayat ein Kurier. Die deutsche Kripo hatte ja präzise Angaben gemacht, und sie selber hatten ihn schon längst im Visier. Aber ebenso selbstverständlich würde man Kayat laufenlassen müssen.

Recht geschieht ihm, diesem Libanesen, dachte Hunkeler, als er die verschneite Treppe hinunterstieg, soll er hocken und scheißen, bis er platzt, so hat er wenigstens einen Teil seiner gerechten Strafe. Er spürte ein hämisches Grinsen über sein Gesicht gleiten, und er merkte, dass ihm dieser braune Mann ziemlich sympathisch war. Der kämpfte wenigstens an der Front, der riskierte etwas, und zwar für vergleichsweise wenig Geld, der war ein Gegner.

Er trat auf den Barfüßerplatz hinaus. Nasser Schnee rann ihm in den Nacken, sein Haar musste tropfnass sein. Der Schnee fiel jetzt so dicht, dass er auf dem Asphalt liegen blieb. Die Autos fuhren im Schritttempo, die Passanten setzten ihre Schritte behutsam, einige mit verkniffenen Gesichtern, als ob dieses Schneien ein großes Unrecht wäre, andere halb belustigt. Die Barfüßerkirche gegenüber stand wie eh und je leicht und majestätisch da, in unnahbarer Grandezza, das oberste Fenster samt Giebel nach links verschoben. Hunkeler hatte sich schon vor Jahrzehnten gewundert, woher diese Asymmetrie kam, ob sie Zufall war oder geplant und etwas zu bedeuten hatte. Er hatte sich bei Kunststudenten und Historikern danach erkundigt, aber niemand hatte eine Antwort gewusst.

Er betrat die Rio Bar, schaute sich kurz um und setzte sich zu Ralf, der am Fenstertisch rechts hinter einer Zeitung saß. Ralf war Sportredaktor beim einzigen größeren Lokalblatt. Sie hatten sich kennengelernt, als sie gemeinsam an der Uni die ersten Semester Jus studiert hatten. Sie hatten gelangweilt inmitten der eifrigen Studentinnen und Studenten gesessen im Hörsaal sechzehn, sie hatten beide durch die hohen Fenster auf den Petersplatz hinausgeschaut, auf die Ulmen und Linden, sie hatten sich nach den Vorlesungen zu einem Bier in die Harmonie gesetzt und über ihre wirklichen Interessen diskutiert. Hunkeler war damals Fan von Georges Brassens und der Porte des Lilas in Paris gewesen, Ralf hatte soeben Jacques Brel entdeckt. Sie hatten sich einige Male nach einer abendlichen Pintenkehr in den Nachtzug nach Paris gesetzt und waren einige Tage später wieder in den Vorlesungen aufgetaucht, abgerissen und übernächtigt, aber sie fühlten sich ihren Kommilitonen gegenüber unendlich überlegen.

Ralf war dann zur Zeitung abgesprungen. Er hatte zuerst einige Theaterkritiken geschrieben, arrogant und ungewohnt bösartig, was ihn zwar in der Stadt auf einen Schlag bekannt gemacht hatte, was aber den Chefredaktor, der mit dem Theaterintendanten befreundet war, bewog, ihn in den Sport zu versetzen.

Hunkeler war damals mit etwas Geld, das er von einem früh verstorbenen, debilen Onkel geerbt hatte, nach Paris gefahren, um Clochard zu werden, wie er am Fenstertisch in der Rio Bar verraten hatte. Er hatte im Quartier Latin gewohnt, in einer ungeheizten Mansarde, in der er zwar nicht aufrecht hatte stehen können, in der es ihm aber richtig wohl gewesen war, so wohl wie noch nirgends in seinem Leben. Er hatte tatsächlich Anschluss an einige Clochards gefunden, die vorn an der Ecke beim Relais d'Odéon auf dem Gitter über dem Lüftungsschacht der Metro schliefen. Er hatte einige Male dort übernachtet, neben den alten, eingemummten Gestalten liegend, aber dann hatte er sich wieder in seine Mansarde zurückgezogen. Er war kein Clochard. Er hatte keinen Grund dazu.

Er hätte ohne weiteres in Paris bleiben können, das Leben dort gefiel ihm gut. Aber dann kehrte er doch wieder nach Basel zurück, um weiterzustudieren.

Vielleicht war das alles Zufall gewesen. Es war Zufall, dass er bald darauf seine spätere Ehefrau kennengelernt hatte, von der er inzwischen geschieden war. Es war Zufall, dass er sein Studium aufgegeben hatte und ins Basler Polizeikorps eingetreten war, als sein erstes Kind geboren wurde. Und es war Zufall, dass er jetzt, an diesem Tag, zu dieser Stunde, in diesem Lokal saß.

Die Rio Bar hatte sich seit damals auf den ersten Blick nur wenig verändert. Noch immer hingen an den Wänden die breiten Spiegel wie in einem französischen Bistro, und noch immer waren die einzelnen Tische durch Holzwände abgetrennt. Auch die Kundschaft war scheinbar die gleiche wie seit Jahrzehnten, Studentinnen und Studenten, Kunstmalerinnen, versoffene Junggesellen und vereinzelte Strohwitwer. Der Lärmpegel stand hoch wie eh und je, die Luft war zum Schneiden, aber es fehlte die Offenheit, die hoffnungsvolle Aufbruchstimmung.

Es fehlte die Freude. Das war es, was Hunkeler auffiel. Es fehlte das herzliche Lachen. Niemand schien es zu genießen, hier sitzen und Wein oder Kaffee trinken zu können, niemand schien entschlossen zu sein, wieder einmal ordentlich auf den Putz zu hauen, nirgends war die geringste Spur von Erotik, von Geilheit zu entdecken, und die Wirtin, die blond und bleichgesichtig hinter der Kasse stand, sah aus wie eine leblose Puppe. Ein abgestandener Haufen Scheiße, dachte Hunkeler, eine Runde von Wohlstandsidioten, eine Versammlung verblödeter Langweiler, die Ambiance eines total angepassten Coiffeurladens.

Hunkeler hätte mit niemandem reden mögen außer mit Ralf, er hätte sich nirgends einmischen wollen, an keinem der Tische und auch nicht an der Bar. Er kam sich deplaziert vor wie ein Bauer im Schönheitssalon, und er überlegte, ob er die miese Stimmung, die ihm entgegenschlug, nicht aus sich heraus in diesen Raum hineinprojizierte. Wer war er denn selber, fragte er sich. Hatte denn er die Lust und die Kraft, wieder einmal ordentlich auf den Putz zu hauen? Aber nein, das war vorbei, er hätte sich das in der Öffentlichkeit schon aus beruflichen Gründen nicht erlauben können. War er selber etwa keine Wohlstandsnutte? Aber gewiss war er das, er war ein lebenslang gekaufter Beamter mit dreizehntem Monatslohn und schöner Rente.

Er nahm die Stange Bier, die ihm der tamilische Kellner gebracht hatte, setzte sie an und trank sie in langsamen, regelmäßigen, schönen Zügen aus.

»So«, sagte er laut und stellte das leere Glas hin, »das hat doch alles keinen Sinn.«

Ralf nebenan ließ seine Zeitung sinken. »Geht's dir nicht gut?«, fragte er.

»Nein«, sagte Hunkeler, »das hält ja keine Sau aus.«

»Vergiss es«, sagte Ralf und nahm wieder die Zeitung hoch, »sauf dir einen an und schlaf aus.«

Hunkeler lehnte sich zurück, schloss die Augen und rollte sich ein in seine Erinnerung. Die Jugendzeit, dachte er, Zeit der Versprechen, der Angebote, des grenzenlosen Vertrauens. Deine Hand auf einem Mädchenknie nebenan, und die Mädchenaugen drehen sich zu dir her und leuchten. Oder eine blonde Haarsträhne, die über ein sommersprossiges Gesicht fällt. Runde Augen, die lieben wollen. Eine Wange, die sich an deine Schulter legt. Eine Mädchenzunge, die sich kurz zwischen deine Lippen drängt. Dann die Heimkehr durch die leere, schwarze Stadt, wortloses Gehen im selben Schritt, deine Hand auf ihrer rechten Hüfte, und du spürst ihr Wiegen. Das leise Öffnen der Haustür, das behutsame Steigen unters Dach, damit die Stufen nicht allzu laut knarren. Das Betreten der Mansarde, ein kurzes Kichern. Dann greifst du ihr ins Haar und rollst dich mit ihr ein im Bett zu einem neugierigen Knäuel.

Nach dem dritten Bier erhob sich Hunkeler von seinem Stuhl am Fenstertisch, drängte sich durch die vor der Theke stehenden Menschen und betrat die Toilette. Er stützte sich mit der linken Hand gegen die gekachelte Wand, pisste und dachte nach. Anschließend schob er Kleingeld in den Telefonapparat, der im kleinen Vorraum hing, und wählte. Es war Schneeberger, der abnahm.

»Und?«, fragte Hunkeler.

»Nichts«, sagte Schneeberger, »der Darm ist leer, da ist nichts mehr drin.«

»Lasst ihn laufen«, sagte Hunkeler, »aber bleibt an ihm dran. Rund um die Uhr, und an Huber auch.«

»Selbstverständlich«, sagte Schneeberger und hängte auf.

Hunkeler verließ das Lokal und nahm draußen auf dem Barfüßerplatz ein Taxi. Er hätte auch mit dem Tram heimfahren können, aber er wollte es heute Abend anders haben. Er wollte noch ein bisschen auf den Putz hauen.

Der Wagen glitt langsam durch den Schneefall. Wie ein Schiff, dachte Hunkeler, wie ein lautloser, sanfter Kahn. Oder wie der Schneepflug früher auf dem Lande, in der Kindheit, als vier Pferde das aus schweren Balken gezimmerte dreieckige Gefährt durch den kniehohen Schnee zogen. Fridolin kam ihm in den Sinn, der Rossknecht Fridolin, der mit der Pfeife im Munde vorne drauf gesessen und ihn aufgefordert hatte, sich ebenfalls hinzusetzen. So waren sie zusammen durch das heimische Quartier gefahren, durch die verschneite Pracht.

Vor dem Restaurant Sommereck unweit seiner Wohnung

stieg er aus und ging hinein. Edi, der Wirt, saß am Stammtisch, ein ehemaliger Seemann, der in der Karibik als Koch
auf einem Dampfer gearbeitet hatte; Walti, ein Gitarrenleh-
rer, der dauernd mit seiner Galle zu kämpfen hatte; der
Möbelantiquar Beat, der nebenan seinen Laden hatte, den
er aus Haushaltsauflösungen bestückte.

Hunkeler setzte sich zu ihnen. Es war ihm wohl hier, er
konnte sich an diesem Tisch erholen wie sonst nirgends.
Der hell geschrubbte Buchenholztisch, der Ölofen mit dem
langen, schwarzen Rohr, die Uhr an der Wand, die mit
dunklem Klang die Stunden schlug, das alles war von einer
handfesten, beruhigenden Wirklichkeit. Und ebenso waren
die Gespräche, bedächtig, mit langen Pausen. Sagte einer etwas, hörten die anderen zu. Es wäre keinem eingefallen zu
unterbrechen, man ließ jeden ausreden. Und aus der Musikbox kam die Musik, die Edi aus der Karibik mitgebracht
hatte, vielstrophige Lieder im immer gleichen Rhythmus,
gesungen in Englisch oder Spanisch von Sängerinnen und
Sängern, die nie bekannt geworden waren, einfache, schöne
Poesie, »Working for the Yankee Dollar, yeah«.

Erika Waldis lag wach im Bett, die Hände unter dem Kopf
verschränkt. Sie hörte die Fräsmaschine aus der Schreinerei
im Hinterhof, die wenige Minuten zuvor eingeschaltet
worden war, sie hörte Erdogans regelmäßiges Schnarchen.
Eines seiner Beine lag über ihrem Schoß, den rechten Arm
hatte er über ihre Brust gelegt. Wie ein Kletteräffchen,
dachte sie, wie ein kleiner, hilfloser Junge.

Sie hatte schlecht geschlafen diese Nacht, sie war immer wieder erwacht und hatte an die Diamanten gedacht, die auf dem Tisch nebenan lagen. Sie mochte diese Steine überhaupt nicht. Einige Male hatte sie überlegt, sie jetzt sogleich ins Klo zu werfen und hinunterzuspülen. Aber sie wusste, dass das einen Riesenstreit nach sich ziehen würde. Und Streit mochte sie noch weniger.

Sie hatte beschlossen, sich in ihr Schicksal zu fügen, sie hatte keine Wahl. Die Diamanten waren nun einmal aufgetaucht, und Erdogan würde sich nie und nimmer freiwillig von ihnen trennen. Das war klar. Ebenso klar wusste sie, dass diese blitzenden Steine mit ihrem bläulichen Feuer in der nächsten Zeit ihr Leben bestimmen würden, ob sie damit nun einverstanden war oder nicht. Denn selbstverständlich würde Erdogan seinen Fund nicht einfach irgendwo verstecken und horten. Sondern er würde ihn verkaufen, in gutes Geld umsetzen wollen. Und das Geld würde er nicht einfach auf eine Bank bringen, sondern er würde es investieren, womöglich sogar in der Türkei. Und was das bedeutete, wusste sie.

Erika war entschlossen, alles zu tun, um Erdogan zu behalten. Sie wusste zwar, dass er nicht für immer bei ihr bleiben würde. Aber er sollte wenigstens so lange wie möglich bleiben. Sie hatte genug von der männerlosen Zeit, vom leeren Doppelbett, vom einsamen Hocken vor dem Fernseher. Sie wollte einen Mann neben sich haben, einen, der freundlich zu ihr war, der sie gern hatte, der ihr zuhörte, wenn sie etwas sagte. Einen, neben dem sie einschlafen und am Morgen erwachen konnte.

Der Beischlaf sagte ihr nichts, der war ihr egal. Erdogan wollte es hin und wieder haben, und sie gewährte es ihm jedes Mal mit freundlicher Zurückhaltung. Sie genoss nicht den Akt an sich, der kam ihr seltsam fremdartig vor. Ihr gefiel Erdogans Erschöpfung danach, sein sofortiges Einschlafen, seine tiefen Atemzüge. Sie hätte nicht gewusst, wozu sonst ihre schweren Brüste und ihr Schoß gut gewesen wären. Kinder hatte sie keine, das war ihr auch recht so.

Sonst hatte sie eigentlich nur noch ihre Mutter und ihre Kollegin Nelly. Wobei die Mutter inzwischen über achtzig Jahre alt geworden war und nur noch muffelte und jammerte, wenn Erika sie besuchte. Und seitdem sie mit Erdogan zusammenlebte, hatte sich auch das Verhältnis zu Nelly abgekühlt.

Für Ostern hatten die beiden Frauen eigentlich zwei Wochen Wanderferien auf einer griechischen Insel eingeplant gehabt. Erika hatte dann kurzfristig abgesagt wegen Magliaso, was Nelly offenbar beleidigt hatte. Jedenfalls hatte sie sich seither nicht mehr gemeldet. Aber Erdogan ging vor. Eine Freundin war recht und gut, dachte Erika, eine Freundin war hilfreich in der Not und zuverlässig. Eine Freundin hatte man ein Leben lang, wenn auch vielleicht mit Unterbrüchen.

Aber ein Mann war eben doch wichtiger.

Warum das so war, das hätte Erika nicht genau sagen können. Sie hatte nie lange darüber nachgedacht, sie hielt nichts von solchen Fragen. Es war eben so, wie es war. Sie hatte die Welt nicht eingerichtet. Sondern sie hatte eine Welt angetroffen, in der bestimmte Regeln galten; sie hatte gelernt, sich an diese Regeln zu halten. So ging es am besten. Und ein Leben ohne Mann, das wussten alle, war eine halbbatzige Sache. Da konnte man sagen, was man wollte, aber so war es. Und mit Erdogan hatte sie Glück. Der war anständig zu ihr und lieb und rücksichtsvoll. Er hatte eine Feinheit an sich, die sie noch nie erlebt hatte. Irgendetwas Orientalisches war das, etwas wie Weihrauch und Myrrhe, wovon sie im Religionsunterricht gehört hatte. Sie hatte noch nie eine wirkliche Moschee gesehen, aber sie hatte als Kind ein Märchenbuch besessen mit Geschichten von Aladin und der Wunderlampe drin und von Ali Baba und Sindbad dem Seefahrer und der feingliedrigen, schwarzäugigen Scheherazade. Auf dem Titelblatt war eine märchenhafte Stadt abgebildet gewesen mit einem Dutzend Minaretten, die in den dunkelblauen Himmel standen, in dem ein goldener Halbmond hing. Sie wusste, dass diese Stadt Istanbul hieß, die Stadt am Bosporus, am Goldenen Horn, die Stadt des Sultans Suleiman des Prächtigen mit seinem Serail.

Sie wäre liebend gern dorthin gereist, schon in jungen Jahren, als die allgemeine Reiserei noch nicht so in Mode gewesen war wie heute. Sie hatte es nie geschafft, wohl auch deshalb, weil sie es nie richtig versucht hatte. Denn so schön wie auf jenem Titelblatt konnte das wirkliche Istanbul gar nicht sein.

Sie wäre auch jetzt, zusammen mit Erdogan, gern hingefahren, auch nach Ephesus, in dessen Nähe er zu Hause war. Sie wusste, dass sie es nie tun würde. Erdogan würde sich in seinem eigenen Land, in seiner angestammten Umgebung, vor ihren Augen verflüchtigen. Er würde ihr ohne weiteres abhandenkommen.

Ihre Liebe zu Erdogan war nur außerhalb der Türkei

möglich. Und am besten möglich war sie hier in der Schweiz, in Basel, in dieser Wohnung.

Als der Wecker klingelte, drückte Erika auf den Knopf. Sie erhob sich, ging in die Küche, setzte Wasser auf und deckte den niederen Tisch im Wohnzimmer. Die Diamanten ließ sie liegen, im Kreis, sie traute sich nicht, ihn zu zerstören.

Als sie den Kaffee hereinbrachte, war Erdogan wach. »Heute gehe ich nicht arbeiten«, sagte er, »und du gehst auch nicht arbeiten.«

So etwas hatte sie erwartet. Sie antwortete nicht sogleich, denn sie musste zuerst überlegen, und am frühen Morgen gleich nach dem Aufstehen brauchte das seine Zeit. Sie goss sich Kaffee ein, schenkte Milch dazu, trank, packte dann ein Stück Schachtelkäse aus und meinte: »Das wäre das Dümmste, was wir tun könnten, denn das würde auffallen.«

Erdogan setzte sich auf, aber er erhob sich nicht, er blieb sitzen auf dem Bettrand, rieb sich seine Zehen und gähnte. »Ruf Nelly an. Sie soll für dich einspringen. Und ich habe Zahnweh, ich kann nicht arbeiten. Heute machen wir Blauen. Heute ist Fest. Heute bin ich reich.«

Sie wusste, dass sie nicht widersprechen durfte.

Guy Kayat hatte eine schlimme Nacht hinter sich. Er lag in seinem Zimmer im Hotel Drei Könige, er hörte das Hupen eines Lastkahns draußen auf dem Rhein. Sein Bett schien zu beben unter dem Stampfen des Schiffmotors, aber das war wohl Einbildung. Kayat fühlte sich zittrig. Er hatte sich während der Nacht mehrmals erheben und die Toilette aufsuchen müssen, zwischendurch war er in einen leichten, nervösen Schlaf gesunken. Sie hatten ihn ganz schön gefickt auf dem Lohnhof, diese Arschkriecher, dachte er, aber er selber hatte sie eben auch gefickt. Die Diamanten hatten sie nicht gefunden, und zu beweisen war ihm nichts.

Er erhob sich und ging zum Fenster. Draußen in der schwachen Morgendämmerung floss der Rhein. Ein Mann in gelbem Anorak stand pfeiferauchend gleich unterhalb des Fensters auf dem Treidelweg und fischte. Es schneite noch immer, die Häuser jenseits des Wassers lagen hinter einem Vorhang aus Flocken. Der Lastkahn hatte Mühe vorwärtszukommen, er hupte wieder, ein langgezogener, dumpfer Ton. In der Steuerkabine über der Kapitänswohnung brannte ein Licht. Ein Mann stand am Steuer, reglos den Blick flussaufwärts gerichtet auf das Joch der Mittleren Brücke, das er anpeilte.

Kayat trat zum Telefon, hob den Hörer ab und bestellte ein Frühstück mit Lachs. Dann setzte er sich an den Tisch und überlegte.

Er wurde überwacht, das war ihm klar. Das Beste war wohl, wenn er sich ruhig verhielt, im Zimmer blieb und sich pflegte. Etwas war falsch gelaufen. Er wusste zwar nicht, was, sein Fehler war es nicht. Im Gegenteil, er hatte goldrichtig gehandelt. Erste Priorität hatte die Geheimhaltung der Kanäle, das war in seinem Job oberstes Gebot. Die Diamanten mussten nach seiner Schätzung einen Wert von einer guten Million Dollar haben. Das war viel Geld. Aber für die Connection war es ein Pappenstiel. Entscheidend war, dass die Steine nicht in die Hände der Polizei gefallen waren. Sie wären Beweisstücke gewesen, eine eindeutige, nicht wegzuleugnende Realität. Er hätte keine Möglichkeit gehabt, ihr Vorhandensein einigermaßen plausibel zu erklären. Gewiss war es nicht verboten, Diamanten über die Grenze zu bringen. Aber wie hätte er erklären sollen, dass er im Besitz eines solchen Vermögens war?

Er hätte schweigen müssen auf alle Fragen, und selbstverständlich hätte er geschwiegen. Er war ja nicht lebensmüde. Sie hätten ihn wochen- oder sogar monatelang in Untersuchungshaft behalten.

Kayat war sich sicher, dass die Leute, für welche die Diamanten bestimmt gewesen waren, keinen Finger gekrümmt hätten, um ihm zu helfen. Sie erwarteten von ihm, dass er schwieg wie das Grab. Und sie hatten das Recht, ihn hängen zu lassen, wenn etwas nicht klappte. Das war das Risiko, das er einging.

Zudem wären die Diamanten ohnehin verloren gewesen, wenn die Polizei sie gefunden hätte. Sie waren zu schmutzig. Wahrscheinlich wären sie als Drogenerlös beschlagnahmt und für die Drogenbekämpfung verwendet worden. Und das wäre auch nicht im Sinne der Connection gewesen.

Wo das Leck war, das ihn verraten hatte, davon hatte Kayat keine Ahnung. Er zerbrach sich auch nicht den Kopf darüber. Wer war er denn? Nichts als ein kleiner Handlanger der Drogenkriminalität, nichts als ein winziger Kurier. Eine seiner Hauptaufgaben war ja gerade, nichts zu wissen. Er kannte weder den Absender noch den Empfänger der Sendung, das wäre viel zu riskant gewesen. Er wusste, dass ihn irgendein Schweizer Glatzkopf mit dem Decknamen Gustav am Badischen Bahnhof erwartete. Er hatte sich zudem eine geheime Telefonnummer gemerkt, die er im Notfall wählen konnte, aber nur mit allergrößter Vorsicht. Aufgeschrieben hatte er sie nirgends, er hatte sie im Hirn gespeichert: 123 63 20.

Das Leck musste irgendwo ganz oben sein, überlegte Kayat, als er sich von dem Tee einschenkte, den ihm der Kellner gebracht hatte. Er hatte schon im Zug Verdacht geschöpft, als ihn der Zollbeamte so auffällig gemustert hatte. Aber das war wohl Zufall gewesen. Dass er im Badischen Bahnhof von der Polizei erwartet worden war, das war eindeutig. Die hatten ja einen ganzen Trupp aufgeboten gehabt, und er war ihnen nur dank der Familie mit dem Kind für einen kurzen, entscheidenden Moment entkommen.

Irgendjemand hatte die Basler Kripo gewarnt und mit präzisen Informationen beliefert. Und sie hatten ihn nicht gleich beim Aussteigen verhaftet, sondern sie hatten gewartet, bis er sich mit dem Glatzkopf traf. Warum hatten sie das getan? Weil sie nicht ihn, den kleinen Kurier, haben wollten, sondern den Empfänger der Ware. Er hätte die Kripo zu den Hintermännern führen sollen, darauf hatten sie es abgesehen.

Seine Lage, so überlegte Kayat, als er sich eine Scheibe Lachs auf die Gabel schob und mit einigen Kapern garnierte, seine Lage war alles andere als angenehm. Nicht nur, dass die Polizei hinter ihm her war, das war er inzwischen gewohnt. Mindestens so unangenehm war ihm, dass er verraten worden war. Denn das bedeutete, dass irgendeine Person ganz oben im Drogenhandel Kayats Arbeitgeber unschädlich machen wollte. Das hieß, dass sich irgendwelche mächtige Drogenbosse bekämpften, dass Krieg herrschte zwischen zwei Kartellen. Und dieser Krieg drohte ihn, den kleinen Kurier, zu zerstören.

Kayat hatte die Nase voll. Er hätte schon längst aussteigen sollen, spätestens aber vor dieser Reise nach Basel. Er hatte bis jetzt immer fehlerlos funktioniert, er hatte gut verdient und besaß ein kleines Vermögen, das er für den Kauf eines Hotels auf Zypern verwenden wollte. Aber wer ein bisschen Geld hat, will noch ein bisschen mehr haben, und wer ein bisschen mehr Geld hat, will noch einmal ein bisschen mehr haben. Das war eine Spirale, er hatte diese Entwicklung schon längst durchschaut, doch war er überzeugt gewesen, im richtigen Moment aufhören zu können.

Jetzt war an einen eleganten Abschied nicht mehr zu denken. Er musste nicht nur die Polizei abschütteln, er musste auch mit dem Mann, für den die Diamanten bestimmt waren, in Kontakt treten, er musste sich erklären. Er musste die Leute von seiner Lauterkeit und Unschuld überzeugen. Sonst würde sein Leben demnächst beendet sein.

Die Hauptschwierigkeit war, dass er den Kontakt herstellen musste, ohne dass die Polizei es merkte.

Auf diesen Huber war kein Verlass, der war keine Hilfe. Seltsam, dachte Kayat, als er sich Tee nachschenkte, seltsam, dass in diesem so erfolgreichen Land solche Idioten als Zwischenträger eingesetzt werden. In Beirut und Nikosia wäre so ein Kretin unmöglich, der wäre schon längst von den Wölfen gefressen.

Als er gefrühstückt hatte, legte er sich wieder aufs Bett und zog sich die Decke über die Ohren. Er fühlte sich erschöpft, aber er spürte, dass sich sein Magen beruhigt hatte. Abwarten, dachte er, abwarten und Tee trinken.

Peter Hunkeler erwachte im ehemaligen Ehebett seiner Freundin Hedwig. Er merkte das, noch ehe er die Augen aufschlug. Er hörte das regelmäßige Schnarchen nebenan, das sich beim Einatmen zu einem hohen Pfeifton steigerte, er roch den vertrauten Frauengeruch, seine Beine lagen an warmen Schenkeln.

Er hob die Augenlider und betrachtete den gedrungenen, schweren Frauenleib neben sich. Die Haut erschien ihm schneeweiß im schwachen Licht der Straßenlaterne, das von der Decke zurückgeworfen wurde: die rötliche Haut im Nacken, halb verdeckt vom hellen, strähnigen Haar, die schweißnasse Haut über dem Rückgrat, unter der sich die Wirbelsäule abzeichnete, die molligen Fettwülste zu beiden Seiten.

Sie hatte in seinen Armen geschlafen, mit dem Rücken an seinem Bauch. Sie liebte das, und er liebte das auch.

Er drehte den Kopf zum Wecker. Es war kurz nach sieben. Von draußen war nur wenig Verkehr zu hören. Die selige Ruhe des Morgens, dachte Hunkeler, die zärtliche Stunde der Liebenden. Er drückte einen Kuss auf Hedwigs Achsel und zog sein rechtes Bein unter ihrer Hüfte hervor. Er wusste, dass sie jetzt einen Augenblick lang mit Schnarchen aufhören würde, und er nahm befriedigt zur Kenntnis, dass es genau so geschah. Wer sich in den Schnarchgewohnheiten eines Menschen auskennt, dachte Hunkeler, ist nicht einsam, und dann sagte er leise: Ich alter Bock.

Fast musste er lachen, aber sein Kopfweh hinderte ihn daran. Dieser Edi mit seinem Grappa, dieser Sommereck-Stammtisch mit der Karibenmusik, »Working for the Yankee Dollar, yeah«, diese Männerzärtlichkeit bis in die Morgenstunden hinein, und natürlich war er wieder in Hedwigs Ehebett gelandet, obschon er nicht angemeldet war. Aber so war das eben. Man hatte sich geschworen, ein für alle Mal genug von den Weibern zu haben, sich nie mehr zwischen zwei fette Schenkel zu legen, weil daraus früher oder später ein Krieg entstand, den man nun wirklich nicht mehr haben wollte, da man ein Ehekriegsversehrter war, ein *mutilé de guerre de mariage,* und doch landete man wieder auf einem Frauenbauch. Die Ehebetten blieben, die Partner wechselten. Das war im Grunde richtig so, dachte Hunkeler, man soll die Betten teilen und nicht die Wohnungen.

Er erhob sich, ging in die Küche und setzte Wasser für Tee und Kaffee auf. Kaffee für Hedwig, Tee für ihn. Kaffee und Tee vertrugen sich gut.

Für ihn war Hedwig eine achtunggebietende Persönlichkeit. Sie konnte frei und verschwenderisch lieben, weil sie sich selber gut mochte, doch ihr Kern blieb bei ihr, und aus diesem Kern strahlte ein warmes Licht, das verzauberte. Hinzu kam, dass sie ihren Leib, der nun wirklich nicht mehr den in den Inseraten propagierten Normfrauen, diesen blöde lächelnden mageren Ziegen, entsprach, mit lockerer Grandezza spazieren führte und, wenn es ihr gefiel, auch durchaus auf herzliche, charmante Art anpreisen konnte. Wer mich will, hieß das, kann mich unter Umständen haben. Aber keiner dieser geilen Böcke soll sich einbilden, sich bei mir einrichten zu können, dazu sind sie mir alle zu blöd.

So sah das Hunkeler, als er am Herd stand und zuschaute, wie die ersten Blasen vom Pfannenboden aufstiegen. Diese Nacht hatte sie sich wieder einmal wie eine Lady benommen. Er hatte unten am Hochhaus neben dem Kannenfeldpark geklingelt, einfach deshalb, weil er nicht in seiner menschenleeren Wohnung übernachten wollte. Sie hatte kurz aus dem siebten Stock heruntergeschaut und aufgedrückt. Er war hochgefahren, und als er ihre Wohnung betrat, hatte sie schon wieder im Bett gelegen. Er war zu ihr hineingekrochen, sie hatte sich kurzerhand auf ihn draufgesetzt und ihren schweren Hintern bewegt, und als es vorüber war, waren sie eingeschlafen.

Als der Kaffee durch die Wohnung duftete, kam sie an den kleinen Tisch in der Küche, den er gedeckt hatte. »Wie geht's?«, fragte sie.

»Besser«, sagte Hunkeler und schenkte sich Tee ein.

»Du hast eben den falschen Beruf, das ist doch nichts für dich, dauernd diesen jungen Menschen, die Drogen brauchen, nachzurennen. Du besäufst dich ja ab und zu auch nicht schlecht.«

»Das war der Grappa«, meinte Hunkeler, »das war ein infamer Grappa-Hinterhalt von Edi.«

»Ihr Männer«, sagte Hedwig, »ihr Männer wollt euch immer besaufen. Zumindest die Männer, die ich mag. Warum?«

»Ich habe mich nicht ganz besoffen«, widersprach Hunkeler, »das heißt, ich hätte mich bestimmt, wenn ich nicht gewusst hätte, dass ich in deinem Bett schlafen kann.«

»Gut, dass du gekommen bist.« Sie schnitt sich ein Stück Käse ab. Sie saß da wie ein Walross, wohltuend sicher und trotz der morgendlichen Verschlafenheit mit einem hellen Charme, wie eines dieser rosigen massigen Weiber Picassos, dachte Hunkeler.

»Du hast es gut«, sagte sie, »du kannst dich wieder ins Bett legen und eine halbe Stunde ausschlafen, und ich muss in die Schule zu den Kindern.«

»Falsch, du hast es gut, du wirst erwartet von aufgestellten jungen Leuten. Auf mich warten nur Arschlöcher.«

»Vor zwei Wochen haben sie in Zürich den Platzspitz geschlossen«, sagte sie, »wo sollen die Drögeler jetzt hingehen? Bei diesem Wetter? Die können sich nicht in eine Beiz setzen und einen Zweier Heroin bestellen. Ich verstehe das nicht.« Sie strich sich Butter aufs Brot und schmierte eine Messerspitze flüssigen Honig darüber. »Alle wissen, dass es drogensüchtige Menschen gibt. Und alle wissen, dass diese drogensüchtigen Menschen ihre Drogen dringend brauchen und alles tun, damit sie sie bekommen. Trotzdem nimmt man sie ihnen weg.«

»Schon wieder falsch«, widersprach Hunkeler, »man nimmt ihnen die Drogen nicht weg, man macht sie nur teurer.«

Er erhob sich und ging ins Badezimmer unter die Dusche. Das warme Wasser rann über seine Brust, über seinen geblähten Bauch. Das beruhigte ihn. Was hatte er eigentlich mit Drogen zu tun? Was scherte ihn der Platzspitz, die blödsinnige, infame Drögelerhatz? Er wollte sich in warmem Wasser suhlen, das war alles, was er wollte. Wie ein Nilpferd, wie ein Krokodil, zusammen mit einem rosigen Walross.

Er verließ Hedwigs Wohnung kurz vor neun und fuhr mit dem Tram zum Lohnhof. Schneeberger und Madörin saßen schon im Büro, vorbildlich und gnadenlos. Staatsanwalt Suter stand neben dem Telefon, den Hörer in der

Hand. Er sprach hochdeutsch, mit klarer, fester Offiziers-
stimme. Offenbar war am andern Ende die deutsche Kripo.

»Ich weiß nicht«, sprach Suter, »wie das passieren
konnte. Der Kerl muss etwas geahnt haben, er rannte unheimlich schnell zur Toilette. Jawohl, zur Männertoilette. –
Stimmt genau, die liegen vermutlich irgendwo in der Kanalisation. Oder sie schwimmen im Rhein zu euch hinunter,
hahaha.« Sein Lachen klang ziemlich gepresst. »Ja, auch das
stimmt. Es war ein ziemlicher Flop. Aber ich bitte Sie, so
etwas kann auch der deutschen Kripo passieren, das ist einfach Künstlerpech. Wie Sie meinen, ganz wie Sie meinen,
Herr Kollega. Wir haben es hier nicht nötig, uns solche
Kritik gefallen zu lassen. Leben Sie wohl.«

Er legte auf und schaute Hunkeler voller Groll an. »Jetzt
haben wir den Salat«, sagte er, »die beschweren sich bei mir,
obschon ich mit der Sache sozusagen nichts zu tun habe.
Die wollen sich das nächste Mal überlegen, ob sie uns wieder einen Tipp geben.« Er runzelte bösartig die Stirn. »Wie
sehen Sie denn aus, Herr Kommissär? Haben Sie wieder
über den Durst getrunken? Und so etwas will ein Drogen-
fahnder sein. Sie sind eine Flasche, endgültig.« Er ging zur
Tür, riss sie auf, federte hinaus und knallte sie zu. Dann war
Stille.

Hunkeler zündete sich eine Zigarette an, es war die erste
an diesem Morgen, sie schmeckte ihm nicht.

»Also dann«, sagte Schneeberger nach einer Weile, während der er auf irgendetwas zu warten schien, »dann wollen
wir mal. Erstens: Wie ich dir gestern Abend schon am Telefon gesagt habe, dem Lärm nach hast du aus der Rio Bar
angerufen …«

»Stimmt genau«, sagte Hunkeler.

»Diesem Kayat war nichts nachzuweisen. Gar nichts. Ein heavy Typ.« – »Heavy« war seit kurzem Schneebergers Lieblingsausdruck, mit dem er höchste Anerkennung auszudrücken pflegte. »Nichts auf dem Körper, nichts intus, richtig clean. Er logiert im Drei Könige, wie es sich für einen Geschäftsmann seines Kalibers gehört. Anton Huber, vorbestraft, wohnt an der Gempenfluhstraße 34, Parterre, und zwar in einem Haus, das der Infex AG, Import-Export, gehört. Die Infex AG hinwiederum gehört Herrn Dr. Zeugin, ehemaliger Treuhänder und langjähriges prominentes Mitglied des Basler Großen Rates.«

Schneeberger schwieg, seine rechte Hand lag schwer auf dem Tisch.

Hunkeler spürte, wie sich sein Nacken versteifte. »Der Kunstmäzen Zeugin«, fragte er, »der im Herbst Nationalrat werden will?«

»Genau der«, sagte Schneeberger, »er ist auch Präsident des Vereins ›Kultur für Basel‹, der demnächst die Kulturwoche ›Die Welt im Gesang‹ durchführen will.«

Hunkeler fingerte sich eine neue Zigarette aus der Schachtel. Über das brennende Streichholz hinweg schaute er auf den kahlen Ahorn im Hof draußen. Drei Krähen saßen auf einem Ast, schwarze, kräftige Vögel mit schimmerndem Gefieder.

»Das ist ein Zufall«, sagte er, nachdem er das Streichholz gelöscht hatte. Er nahm einen tiefen Zug, es ging schon besser. »Irgendwo muss dieser Huber ja wohnen.« Er machte eine Pause und stieß den Rauch aus. »Mit was handelt denn diese Infex AG?«

»Tabakwaren, Toilettenartikel und so weiter. Sie besitzt mehrere TIR-Lastwagen. Das heißt so viel wie Transport International Routier. Sie sind plombiert und müssen an den Grenzen, wenn die Papiere stimmen, nicht geöffnet werden.«

»Ich weiß«, sagte Hunkeler, »dafür sind sie ja da, um die Zollabfertigung zu erleichtern.«

»Dann weißt du aber auch«, Schneeberger insistierte wie ein Dackel auf der Fährte, »dass diese TIR-Lastwagen manchmal zum Schmuggeln von Waren benützt werden, und zwar, wie mir schon zu Ohren gekommen ist, unter Umständen mit stillschweigender Duldung hoher Behördenmitglieder.«

»Es sollen auch schon Drogen mit solchen Lastwagen geschmuggelt worden sein«, warf Madörin ein, als ob ihn die ganze Sache nichts anginge.

»Ihr meint also«, sagte Hunkeler nach einer Weile, nachdem er ausgiebig das Tischblatt, auf dem Schneebergers rechte Hand ruhte, gemustert hatte – es war hartes, ungeheiztes Buchenholz mit der typischen kleinkörnigen Maserung –, »ihr meint, dieser Zeugin sei im Drogenhandel tätig, und zwar in großem Stil. Huber sei der Verbindungsmann zu Kayat, und die Diamanten seien für die Infex AG bestimmt gewesen.«

»Wie kommst du denn da drauf?« Schneeberger verzog keine Miene.

»Das sind Märchen aus Tausendundeiner Nacht«, sagte Hunkeler, »wenn du weißt, was ich meine.«

Schneeberger schüttelte langsam den Kopf. »Ich habe diese Märchen nicht gelesen. Ich lese nur Zeitung. Und dort steht, dass der Umsatz, der weltweit pro Jahr mit Drogen gemacht wird, auf über fünfhundert Milliarden Dollar geschätzt wird.«

»Ich wollte damit sagen«, fuhr Hunkeler fort, »dass weit und breit keine Diamanten zu sehen sind. Und dass wir keinen Schritt weiterkommen, solange das so bleibt.«

Jetzt mischte sich Madörin wieder ein. »Das heißt ja wohl«, meinte er trocken, »dass wir diese Diamanten unbedingt ausfindig machen müssten. Und wenn sie Kayat wirklich ins Klo gespült hat, so müsste man eben dort unten suchen. Nur, wer will so etwas machen?«

»Erstens einmal«, sagte Hunkeler, »kannst du ebenso gut die berühmte Nadel im Heuhaufen suchen wie Diamanten in der Kanalisation. Wenn die wirklich dort unten lagen, so liegen sie längst nicht mehr dort unten, sondern wurden weggespült in die Kläranlage. Und versuche einmal, in der Kläranlage eine Handvoll Diamanten zu finden. Zweitens, und dieser zweite Punkt scheint dem ersten zu widersprechen, was aber nicht ganz stimmt, sondern nur halb: Falls dieser Kayat die Diamanten wirklich hinuntergespült hat, wird er das vor seinem Auftraggeber zu verantworten haben. Wir haben also immer noch eine Chance, diesen Auftraggeber ausfindig zu machen. Dieser wird aller Voraussicht nach Kayat die Hölle derart heiß machen, dass er alles unternehmen wird, um die Diamanten wieder aufzutreiben. Wo er sucht, müssen auch wir dabei sein. Wenn wir aber schon vorher in der Kanalisation herumstöbern, wird er das möglicherweise bemerken und sich endgültig aus dem Staub machen. Das heißt, wir können vorerst nichts anderes tun als abwarten und Tee trinken.«

»Oder Bier«, giftete Schneeberger, »es braucht ja nicht bei einer einzigen Stange zu bleiben.«

»Ich bestimme hier«, sagte Hunkeler ruhig, »und ich bestimme auch in der Beiz, was und wie viel ich trinke. Sonst noch was?«

»Ja«, sagte Madörin, »soll man den Zeugin auch überwachen?«

»Nein«, sagte Hunkeler. Und nach einer Weile: »Ich kümmere mich um ihn.«

Gegen elf Uhr desselben Tages gingen Erika und Erdogan durch die Freie Straße. Sie hatte ihm eingehängt, obschon er das nicht haben wollte. Nur Huren hängen sich ein, hatte er zu ihr gesagt, als sie es das erste Mal versucht hatte. Aber sie hatte nicht nachgegeben. Sie wollte einen Mann haben, dem sie auf der Straße einhängen konnte. Basta.

Es war ein gewöhnlicher Werktag, ein Dienstagmorgen wie jeder andere Dienstagmorgen, nur dass es die ganze Nacht geschneit hatte. Der Schnee auf der Fahrbahn und den beiden Trottoirs war schon mehrmals weggeräumt worden, aber da er in solchen Unmengen fiel, war er immer wieder aufs Neue liegen geblieben, und im Straßengraben stand er meterhoch. Die Leute, die unterwegs waren, um Einkäufe und Besorgungen zu machen, hatten die Kragen hochgestellt. Einige waren sichtlich verstimmt über das kalte Hudelwetter und schritten geradeaus, ohne darauf zu achten, ob ihnen jemand entgegenkam.

Erika war das egal. Sie hatte es überhaupt nicht eilig. Auch das Schneien gefiel ihr, es erinnerte sie an ihre Jugend an der Rigi.

Sie hatte das, was sie sich schon lange gewünscht hatte: einen freien Werktag, den sie zusammen mit Erdogan in der Stadt verbringen konnte. Denn er arbeitete fünf Tage in der Woche, und am Samstag, wenn er freihatte, saß sie an der Kasse.

Sie gingen langsam und versuchten, im gleichen Schritt zu bleiben. Erdogan hatte den großen schwarzen Schirm aufgespannt. Sie sprachen kein Wort. Dafür war die Stimmung zu feierlich. Ihr Ziel war das Juweliergeschäft Bernett.

Als sie vor der Auslage mit den goldenen Ringen und den unglaublich teuren, funkelnden Steinen standen, wurden sie beide einen Moment lang nervös. Erika spürte, wie Erdogan an ihrem Arm zog, sie hätte fast nachgegeben. Aber sie blieb standhaft und sagte: »Nichts da. Jetzt sind wir hier und gehen hinein.«

Sie betraten den Laden, dann blieben sie stehen, immer noch eingehängt, bis Erdogan den Schirm zumachte und in den Ständer neben der Tür stellte.

Eine junge Frau kam aus einem der hinteren Räume. »Ja, bitte«, sagte sie, »kann ich Ihnen behilflich sein?«

»Gern«, sagte Erika entschlossen, »wir haben nämlich zwei Diamanten und möchten wissen, was die wert sind.«

Sie trat zum Verkaufstisch, der von einer Glasscheibe bedeckt war, worunter allerhand Schmuck zum Verkauf lag, aber sie achtete nicht darauf. Sie öffnete ihre Handtasche, nahm ein mit roten Rosen besticktes Taschentuch heraus, entfaltete es und legte es auf die Scheibe. Zwei Brillanten lagen darauf, funkelnd, mit einem bläulichen Feuer.

Die junge Frau nahm einen der beiden Steine, klemmte sich etwas wie eine Lupe vors linke Auge und prüfte ihn wortlos und genau. »Woher haben Sie den?«, fragte sie nach einer Weile, den Blick immer noch auf den Stein geheftet.

»Das ist ein Erbstück«, sagte Erika, »beziehungsweise das sind zwei Erbstücke. Geerbt, von der Großmutter.«

»Tatsächlich?«

Erika erschrak. Sie schluckte einmal leer und sagte dann: »Wir haben es uns anders überlegt. Geben Sie ihn mir bitte wieder zurück.« Sie streckte die Hand aus, bittend.

»Nur einen Moment«, sagte die Frau, »setzen Sie sich doch einen Augenblick.« Sie verschwand nach hinten.

Erika schaute sich um. Rechts standen zwei Stühle. Sie nahm Erdogan am Arm, und gemeinsam setzten sie sich. Wortlos warteten sie, bis die junge Frau wieder zum Vorschein kam. In ihrer Begleitung war ein älterer Herr mit weißen, buschigen Augenbrauen. Er hielt den Brillanten zwischen Daumen und Zeigefinger der linken Hand, kniff das linke Auge zu, schaute mit dem rechten auf den Stein und sagte: »Ich gebe Ihnen 5000 Franken für so einen Brillanten.«

Erika hatte sich wieder erhoben. »Es tut uns leid«, sagte sie, »wir verkaufen doch nicht. Bitte geben Sie ihn wieder her.«

»Sie sagen, das sei ein Erbstück«, insistierte der Juwelier, »von der Großmutter. Ist es so?«

»Das geht Sie nichts an«, sagte Erdogan, »geben Sie jetzt den Diamanten wieder her. Sonst rufe ich die Polizei.«

»Ach so«, meinte der Juwelier, »Sie wollen also die Polizei rufen? Bitte sehr.«

Seine Augen blieben auf die Diamanten geheftet, und nach einer Weile sagte er: »Ich gebe Ihnen für beide zusammen 12 000 Franken.«

Er legte den Brillanten behutsam auf das Taschentuch zum andern und hob jetzt den Blick. Er hatte graue, ausdruckslose Augen. »Darf ich mir die Frage erlauben, ob Sie Türke sind?«, fragte er. »Und wenn Sie tatsächlich Türke sind, woran ich im Übrigen keineswegs zweifle, möchte ich Sie fragen, wie Sie zu diesen beiden Brillanten kommen.« Er lächelte beinahe, und seine Augen wirkten auf einmal einladend.

»Was dieser Mann für eine Nationalität hat, geht Sie überhaupt nichts an«, sagte Erika fest, »was stellen Sie sich eigentlich vor, wer Sie sind? Vielleicht der Schah von Persien?«

Sie nahm das Taschentuch mit den beiden Steinen von der Glasscheibe, steckte es ein, riss den Herrenschirm aus dem Ständer und zog Erdogan mit sich hinaus.

Draußen gingen sie in schnellem Schritt die Freie Straße hinauf, bogen oben links in eine Gasse ein und hielten erst an, als sie vor der roten Sandsteinfassade des Münsters standen.

»Spann den Schirm auf«, sagte sie, »man wird ja ganz nass, und die Leute schauen uns an.«

Erdogan spannte den Schirm auf und hielt ihn sorgfältig über ihren Kopf. Er wirkte hilflos, ängstlich, er schaute immer wieder in die Gasse zurück, aus der sie gekommen waren. »Es rennt uns niemand nach«, sagte Erika, »der weiß ja gar nicht, wie wir heißen. Wir tun einfach so, als wären wir Touristen. Schau«, sie zeigte auf die Reitergestalt, die über dem linken Eingang auf einem Pferd saß und mit einer Lanze einen kleinen Drachen erstach, »das ist der heilige Georg. Der hat den Drachen erlegt.«

Sie betraten das Münster, gingen, immer noch eingehängt, durchs linke Seitenschiff und setzten sich an seinem Ende auf eine Bank. Vor ihnen hing das steinerne Figurenrelief, das in vier Stationen zeigte, wie der heilige Vinzenz gefoltert und gebraten wurde und wie er nach seinem Tode auferstand. Das gefiel Erika ausnehmend gut, es war wie in einem Märchenbuch, und fast hätte sie den Juwelier vergessen.

»Wenn der für einen Diamanten 6000 Franken bezahlt«, sagte Erdogan nebenan, »so sind das für alle zusammen über 200000 Franken. Damit kann ich bei Selçuk am Meer draußen ein kleines Hotel bauen lassen. Ich meine, mit diesen 200000 Franken in der Hand erhalte ich von der Bank den Kredit für ein neues Hotel.«

»Nein«, sagte Erika, »wir verkaufen nicht. Du hast ja gesehen, der hat schon Verdacht geschöpft. Und wenn er es der Polizei meldet, verhaften sie dich, weil du eine Fundsache nicht abgegeben hast. Wenn man etwas findet, muss man es abgeben. Das ist Vorschrift.«

»Ich verkaufe sie in einem anderen Laden«, sagte Erdogan, »wo sie keinen Verdacht haben. Dann kaufe ich ein Auto. Ich habe den Führerschein.«

»Das ist nicht gut. Du musst genau so weiterleben wie bisher. Sonst fällt es auf, und die Leute fragen sich: Woher hat der plötzlich das Geld für ein Auto?«

Erdogan dachte eine Weile nach. Dann sagte er: »Nein. Ich bin reich. Und ich will den Reichtum genießen. Ein Auto hat heute jeder, das fällt nicht auf.«

»Die Diamanten werden nicht verkauft«, entschied Erika. »Wenn du willst, nehme ich einen Kleinkredit auf. Damit kannst du ein Auto kaufen, und wir sagen den Leuten, dass ich einen Kleinkredit aufgenommen habe.«

»Meinetwegen«, sagte Erdogan, »machen wir es so.«

Drei Stunden später saß Erdogan am Steuer eines alten weißen Amerikanerwagens mit rotem Faltdach, das vom Führersitz aus per Knopfdruck geöffnet werden konnte. Auch das Interieur war rot, die teilweise eingerissenen Ledersitze, das Armaturenbrett und das Steuerrad. Ziemlich ausgefallen und übertrieben war Erika dieses Gefährt vorgekommen, als sie es auf dem Okkasionsmarkt begutachtet hatten. Aber Erdogan war sofort entschlossen gewesen, diesen alten Kahn zu kaufen. Sie hatte mit dem Kleinkredit bezahlt, den sie kurz vorher in der Innenstadt aufgenommen hatte, sie hatten den Papierkram geregelt, dann waren sie losgefahren.

Erdogan hatte den Wagen in den Mittagsverkehr gesteuert, er hatte sich schnell an die Schaltung gewöhnt. Offenbar hatte er schon oft am Steuer eines Autos gesessen. Erika fragte sich, wann das wohl gewesen war, ob noch in der Türkei oder schon in der Schweiz, aber sie fragte nicht. Das war eine ihrer Spielregeln, an die sie sich beide hielten: keine Fragen über das Vorleben.

Der Schnee fiel ununterbrochen, die Luft war voller Flocken, aber die Scheibenwischer drehten zuverlässig. Überhaupt machte ihr das Auto einen guten Eindruck. Das war alles massives Material und drohte nicht gleich auseinanderzufallen. Und die Sitze waren bequem. Das war ein Luxusschlitten, den Erdogan da steuerte, und im Sommer mit offenem Verdeck würde es eine Staatskarosse sein.

Sie hatten noch kein Wort gewechselt, seit sie im Okkasionenmarkt losgerollt waren. Sie hatten beide das gemeinsame Fahren genossen, das sichere Gleiten durch den Schnee, das Sitzen nebeneinander. Erst waren sie nervös gewesen, gespannt auf das Abenteuer, das vor ihnen lag, auf die Freiheit, jeder Straße, jedem Nebenweg folgen zu können in alle Himmelsrichtungen.

Erika hatte bemerkt, dass Erdogan ruhig wurde, sicher und bedächtig wie ein Fischer, der mit seinem Kutter zum Fischfang in See sticht, und auch sie hatte sich locker und entspannt in den Sitz zurückgelehnt. Schließlich hatte sie einen freien Nachmittag vor sich, zusammen mit ihrem Freund.

»Auf die Gempenfluh«, sagte sie, »wir fahren auf die Gempenfluh.«

»Gempenfluh? Wo ist das?«

»Das ist ein Aussichtsberg«, sagte Erika, »mit einem Aussichtsturm. Im Jura. Es gibt einen Gasthof dort oben.«

»Das ist gut«, sagte Erdogan, »ich habe Hunger.«

Er schob den Arm über ihre Schultern, zog sie zu sich und lachte sein herzliches, dunkles Lachen. Dann fing er an zu singen, ein türkisches Lied, von dem sie kein Wort verstand. Als er das merkte, pfiff er nur noch, er wiederholte ein gutes Dutzend Mal die immer gleiche Melodie, als ob er in mehreren Strophen eine Geschichte erzählen würde.

Der Schnee lag neben der Straße einen halben Meter hoch. Er hatte die jungen Buchen heruntergedrückt, dass sie fast das rote Faltdach berührten.

»Hast du Winterpneus drauf?«, fragte sie.

»Nicht nötig«, sagte Erdogan, »es geht auch mit Sommerpneus.«

Sie betrachtete seine braunen, nervigen Finger, die auf dem Steuerrad lagen, sie schienen ihr schön. Sie wusste, dass er aus einer Kleinbauernfamilie stammte. Sein Vater und sein Großvater und sein Urgroßvater, das hatte er ihr erzählt, waren Bauern gewesen, alle im selben Dorf, im selben Haus, nicht weit von Selçuk am Rande eines Flussdeltas, das es dort offenbar gab. Erdogan hatte den Namen seines Heimatdorfes schon erwähnt, allerdings so schnell und undeutlich, dass sie ihn sich nicht hatte merken können. Sie wusste nur, dass in jenem Dorf immer im Frühling die Störche zurückkamen und auf den Dächern ihre Nester bauten und im Delta Frösche fingen. Der Tag, an dem der erste Storch auftauchte, war ein Festtag, den alle bis in den Morgen hinein feierten, weil er das Ende des Winters anzeigte. Und an den Abenden formierten sich die Flamingos aus den Sümpfen zu einem einzigen großen Schwarm, der durch den Himmel zog, bis die Dunkelheit alles zudeckte. Er hatte ihr das wie eine selbstverständliche Schönheit geschildert.

Ein relativ junger Bauernsohn saß da neben ihr. Das gefiel ihr. Denn auch sie war eine Bauerntochter, wenn auch nicht mehr so jung, aber seine bäurische Herkunft verlor man ein Leben lang nie. Sie mussten zusammenhalten, Erdogan und sie, das hatte sie vom ersten Augenblick an gewusst, als er ihr damals an der Kasse aufgefallen war. Sie waren von gleichem Stand, wenn auch nicht von gleichem Stamm. Aber der Stand war wichtiger, über den Stamm konnte man hinwegsehen. Das dort auf dem Steuerrad waren jedenfalls zwei schöne Kleinbauernhände, zu diesen Händen hatte Erika Vertrauen.

Der Wagen glitt zwischen den verschneiten Bäumen hindurch, langsam und stetig. Zwei, drei Mal drehten die Antriebsräder durch, das Gefährt schlingerte und drohte zu schleudern, fasste dann aber wieder Grund und blieb in der Spur. Nur oben in der großen Kehre, bevor die Straße den Wald verließ, lag blankes Eis, über das der Wagen nicht mehr hinwegkam. Er stellte sich quer, und je mehr Erdogan Gas gab, umso mehr drehte sich die Kühlerhaube Richtung Straßenrand.

»Geh vom Gas«, sagte Erika, »und leg den Rückwärtsgang ein.«

Erdogan tat es.

»So«, sagte Erika, »jetzt gehst du ganz leicht von der Kupplung und fährst zurück.«

Auch das tat Erdogan, und der Wagen rollte zurück.

»Jetzt«, sagte Erika, »versuchst du es noch einmal, und zwar mit ganz wenig Gas.«

Sie hatte das gelernt an den verschneiten Hängen der Rigi, sie wusste, dass in solchen Situationen nur die Ruhe half. Aber der Wagen blieb stehen, die Pneus fassten nicht.

Erika stieg aus, stellte sich hinten an und schob mit der ganzen Kraft ihres gewichtigen Körpers, während Erdogan

Gas gab. Die Räder rollten langsam übers Blankeis, und Erika stieg wieder zu.

Sie fuhren über die Hochebene. Ein steifer Wind blies aus Nordwesten, Schneewehen lagen über dem Straßenrand. Die Spur selber war ohne weiteres passierbar.

Vor dem Dorf Gempen standen Schafe unter einem Apfelbaum. Sie hatten dort das Gras freigescharrt und ästen. Als Erdogan anhielt, hoben sie die Köpfe und schauten aus schmalen Gesichtern herüber.

»Bäh«, machte Erdogan, »Koyun.« Er zeigte auf die reglos glotzenden Tiere, er lachte, dann fuhr er wieder an.

Das letzte Stück zum Gasthof hinauf gingen sie zu Fuß. Der Schnee lag kniehoch, es war kälter hier oben, die Luft schien heller und weißer. Vom Himmel war kaum eine schmale Spur zu sehen, so dicht hingen die Äste über die Straße. Wie Weihnachten, dachte Erika.

An ein Besteigen des Aussichtsturmes war nicht zu denken. Der Schnee war auf den Eisenstreben festgefroren. Die Sicht war so schlecht, dass die oberste Plattform schon fast im Flockengewirbel verschwand.

Sie standen unten bei der Drehtür, die sich bei Einwurf eines Einfränklers öffnen ließ, wie zu lesen war. Sie schauten hinauf in die elegante Eisenkonstruktion und ließen sich die Flocken aufs Gesicht fallen. Vom Horizont, der sich an schönen Tagen Dutzende von Kilometern über die grün bewaldeten Jurahöhen gegen Westen hinzog, war nichts sichtbar.

Sie betraten den Gasthof und schüttelten im Vorraum den Schnee von den Mänteln. Dann gingen sie hinein. Es war ein großer Raum, fast ein Saal. An den Wänden standen schwere Holzbänke, über dem runden Tisch in der Mitte hing die einzige Lampe, die brannte.

Sie setzten sich in ihren Schein. Als die Serviertochter kam, ein junges, hübsches Mädchen mit leuchtend blauen Augen, bestellten sie den Tagesteller mit Brathuhn und Pommes frites. Dann saßen sie da, wartend, auf einmal müde geworden, vom plötzlichen Reichtum verzaubert.

An diesem Dienstagnachmittag, kurz vor 16 Uhr, entstieg einem Taxi, das soeben vors Hotel Drei Könige gefahren war, eine junge Frau in einem Mantel aus Leopardenimitation. Sie hatte kein Gepäck, keinen Schirm. Auch war ihre Ausstaffierung alles andere als winterfest, die Stöckelschuhe, die feinen Netzstrümpfe, der Mantel, der knapp bis zu den Knien reichte. Sie trat mit dem rechten Bein auf den granitenen Trottoirrand, schob mit einer grazilen Bewegung den Oberkörper heraus und griff nach der Tür, um sich aufzustützen, sie zog das linke Bein nach und richtete sich auf. Das machte sie mit einem so strahlenden Lächeln wie Aphrodite, als sie der Ägäis entstieg.

Der Concierge des Hotels, der belemmert hinter der Drehtür gestanden war und vermutlich an irgendwelche traurige Familienangelegenheiten gedacht hatte – genau so sah er aus, seine Familienangelegenheiten konnten nicht anders sein als traurig –, erwachte urplötzlich, als ob ein Sonnenstrahl ihn geküsst hätte. Er schob die Drehtür auf, drängte sich hinaus, öffnete einen großen, schwarzseidenen Regenschirm und hielt ihn mit holdseligem Grinsen über die junge Dame, um ihr Haar und ihre Leopardenimitation zu schützen. Sie nickte dankend, sagte dem Taxifahrer, er solle einen Augenblick warten, und schwebte unter dem Schutz des Concierge durch die Drehtür in die Hotelhalle hinein.

Drinnen bedankte sie sich herzlich. Sie öffnete die obersten zwei Knöpfe der Leopardenimitation, griff mit einer milden Handbewegung hinein und brachte einen gelben Briefumschlag zum Vorschein. Sie bitte höflich, diesen Brief unverzüglich Monsieur Kayat zu überbringen, er warte sehnsüchtig darauf. Aber gern, sagte der Concierge, selbstverständlich und mit dem größten Vergnügen. Er nahm den gelben Umschlag in Empfang und deutete eine schweizerisch knappe Verbeugung an.

Die junge Frau dankte mit süßer Stimme. Sie schloss sorgfältig die beiden obersten Knöpfe wieder zu, schaute sich kurz um, ob sich eventuell irgendein bekanntes Gesicht in der Halle zeigte. Es zeigte sich keines. Ihr Blick streifte auch über den einsamen Hagestolz, der links hinter der Zimmerlinde auf dem Kanapee saß und Zeitung las. Bei ihm verweilten ihre Augen ein bisschen länger, aber auch ihn schien sie nicht zu kennen. Also schritt sie wieder auf die Drehtür zu, der Concierge hinterher. Er brachte die Drehtür in Schwung, fast zu sehr, schien es, denn die Dame zögerte. Dann schritt sie hinaus, und sofort spannte sich wieder der behütende Schirm über sie. Sie stöckelte mit begütigendem Lächeln auf das Taxi zu, wartete, bis die hintere Tür aufgerissen wurde, und schob ihr Gesäß mit niedergeschlagenem Blick auf den hinteren Sitz. Sie zog die Beine mit den Netzstrümpfen nach, bündelte sie schön zurecht, so dass ein Knie neben das andere zu liegen kam, und hob dann unvermittelt und völlig überraschend den Blick zum Concierge, der darob fast umkippte. Er riss die linke Hand an die Mütze, packte die Autotür und schmetterte sie zu.

Der Wagen fuhr weg durch die Schneeflocken. Noch waren die hinteren Lichter zu sehen, dann verglühten auch sie.

Der Concierge klappte den Schirm zu. Er hatte soeben einen jener Augenblicke erlebt, derentwegen es sich in existentiellem Sinne lohnte, diesen an sich nicht hochdotierten Posten ein Leben lang zu bekleiden. Hinter diesem Auftritt der jungen Dame steckte eine Geschichte, das war ihm sofort klar geworden. Da steckte etwas Amouröses dahinter, da wartete jemand sehnsüchtig auf einen gelben Briefumschlag, der ihn aus den tiefsten Abgründen der Einsamkeit erretten und in den Himmel der Glückseligkeit emporheben musste.

Wild entschlossen setzte er von neuem die Drehtür in Bewegung, ging hinein, schritt durch die Halle an der Zimmerlinde vorbei, hinter der ein unauffälliger Hagestolz saß, und betrat den Lift. Er fuhr in den ersten Stock hoch, schritt durch den weich ausgelegten Gang und blieb vor Zimmer 125 stehen. Er klopfte drei Mal. Dann sprach er leise und diskret, fast flüsterte er: »Monsieur Kayat, il y a une lettre pour vous.«

Kayat schloss die Tür. Dieser schmierige Concierge. Diese hinterfotzigen Schweizer. Alle waren sie Komplizen, wenn sie irgendeine Liebschaft vermuteten oder irgendein lukratives krummes Geschäft. Alle waren sie Speichellecker, alle krochen sie vor tatsächlichem oder auch nur vorgespieltem Reichtum auf dem Bauch.

Er setzte sich in den Fauteuil neben der Stehlampe, schob einige Pommes Chips in den Mund, genoss ihr Salz, ihren öligen Geschmack, und riss dann den Briefumschlag auf. Drin befand sich ein syrischer Pass, ausgestellt auf den Namen Assad Harif; ein Autoschlüssel und die Bestätigung der Autovermietung Stalder, dass ab sofort und auf unbegrenzte Zeit ein Wagen mit Vierradantrieb und Autotelefon für ebendiesen Assad Harif bereitstand, jederzeit abholbar, Rechnung wird bezahlt; im Weiteren ein Zettel mit Adresse und Telefonnummer des Basler Gewässerschutzamtes und der Garderobe der Kanalarbeiter, eine Beschreibung des Kanalisationssystems des Badischen Bahnhofs und ein Stadtplan, auf welchem das Hotel Rochat eingezeichnet war. Kein Absender, nichts. Keine Aufforderung, kein Befehl. Aber Kayat wusste Bescheid.

Er ging ins Badezimmer, ließ Wasser einlaufen und trat dann ans Fenster. Der Schneefall hatte noch nicht aufgehört, der Rhein dampfte. Eine trübe Suppe war das da draußen. Und der Fischermann auf dem Treidelweg unten, der Sportsmann mit dem gelben Anorak und der Pfeife im Mund, der schon am Morgen seine Rute in den Fluss hinausgestreckt hatte, stand wieder dort, freudlos, sinnlos eingeschneit. Er oder ein anderer dieser Petrijünger würde den ganzen Abend, die ganze Nacht und den ganzen folgenden

Tag da unten stehen. Sie waren wieder einmal auf Fischfang, die Kollegen der Recht-und-Ordnungs-AG.

Kayat zog sich aus und stellte sich vor den Spiegel. Er fand sich schön, durchaus, er war so, wie er sein wollte, und er war absolut fit. Wenn jemand diese Steine aus der Kanalisation oder aus der Kläranlage oder aus der Hölle zurückholen konnte, dann er.

Er ging ins Bad und wusch sich sorgfältig die Zehen.

Später schritt er durch die Hotelhalle, im eleganten Kamelhaarmantel, nichts in der Hand, keine Tasche, keinen Koffer, ein gutaussehender jüngerer Geschäftsmann, der sich in der kleinen Stadt Basel einen netten Abend machen will. Der Hagestolz hinter der Zimmerlinde bemerkte ihn sofort. Er legte die Zeitung weg, erhob sich, ging durch die Drehtür und sah Kayat in ein Taxi steigen und wegfahren. Er winkte ein Privatauto heran, das gegenüber gewartet hatte, stieg ein und folgte dem Taxi zur Johanniterbrücke. Dort sah er, wie Kayat ausstieg und die Trattoria Donati betrat. Dann kehrte er um. So hoch waren seine Spesenansätze nicht, dass er im Donati hätte dinieren können. Zudem schien ihm die Lage eindeutig zu sein.

Kayat setzte sich gleich links neben dem Eingang an den kleinen Tisch. Er bestellte sechs Austern Fines de claire, ein Coquelet mit Salat und eine Flasche Waadtländer Weißwein, der ihm ausgezeichnet mundete. Anschließend spazierte er über die verschneite Brücke ins Kleinbasel hinüber, betrat dort ein gepflegtes Puff, das er von früher her kannte, und ließ sich aufs höflichste bedienen.

Als er kurz nach Mitternacht ins Drei Könige zurückkam, saß der Hagestolz hinter der Zimmerlinde auf seinem

Kanapee und schlief. Gut, dachte Kayat, dass man erwartet wird. Schön, dass man nicht verlorengeht. Und wie liebenswürdig, wie die einen behüten.

An diesem Abend fuhr Peter Hunkeler mit Hedwig ins Elsass, unzufrieden, hässig und müde.

Er hatte den restlichen Vormittag verplempert mit allerlei Krimskrams, mit Zeitunglesen und unnützen Telefonaten. Über Mittag war er kurz zu Harri in die Sauna gegangen. Er hatte sich zweimal in den Schwitzraum gelegt, je eine Viertelstunde. Er hatte auf dem Rücken gelegen mit angezogenen Knien, ein Baby im Mutterschoß, er hatte versucht, an nichts anderes zu denken als an diese schöne Hitze, die ihn umgab, an keinen Huber, keinen Kayat, keine Diamanten. Er hatte gespürt, wie ihm der Schweiß aus den Poren rann und auf das Tuch tropfte, auf dem er lag. Beim zweiten Saunagang war er sogar einen Moment lang eingeschlafen, nur wenige Minuten, wie die Sanduhr anzeigte, die ihm aber wie eine Stunde, wie ein Tag, wie ein Jahr vorgekommen waren.

Anschließend hatte er eine Suppe gegessen und sich zum Auskühlen auf die Dachterrasse gesetzt. Er hatte den Schneeflocken zugeschaut, wie sie aus dem Himmel fielen, auf die Stadt, auf die Terrasse, auf seine Haut. Das zarte kalte Schweben hatte ihn vollends beruhigt.

Am Nachmittag hatte er noch einmal die Akten hervorgeholt und studiert, es war ihm nichts Neues aufgefallen. Kayat war schon seit zwölf Jahren aktenkundig. Er war mehrmals verhaftet und in Untersuchungshaft genommen worden, nichts war dabei herausgekommen. Huber war mit 2,1 Promille beim Grenzübergang Weil am Rhein geschnappt worden, was aber nichts Außerordentliches war. Weil war bekannt für seine Nachtlokale und Puffs, und mancher betrunkene Basler fuhr nach Mitternacht hinüber, um sich für Schweizer Franken lieben zu lassen. Gut, 2,1 Promille waren an der oberen Grenze, bei ungeübten Trinkern begann da bereits die Unzurechnungsfähigkeit. Aber ein Hinweis auf berufsmäßige Kriminalität war das selbstverständlich nicht.

Über Zeugin stand nichts in den Akten, außer dass er einmal wegen Steuerhinterziehung in Höhe von 650 000 Franken angeklagt worden war. Diese Anklage war aber hinfällig geworden, weil sie wegen geschickten Taktierens und Verzögerns des Angeklagten verjährte.

War also Herr Dr. Zeugin ein Ehrenmann? Jawohl, den Akten nach zu schließen war er das.

Hunkeler hatte die Tür zugesperrt, den Telefonhörer abgehoben und vor sich auf den Tisch gelegt. Er hatte den Stuhl zurückgeschoben und die Schuhsohlen gegen die Tischkante gestemmt, hatte die Hände um die Knie gelegt und in dieser halb schwebenden Hockhaltung mit geschlossenen Augen eine halbe Stunde lang nachgedacht. Dann hatte er erschöpft aufgegeben. Es half alles nichts. Ohne Diamanten war dieser Fall hoffnungslos verloren. Das Einzige, was er von sich aus in die Wege leiten konnte, war ein Gespräch mit Zeugin. Aber das hatte er auf den nächsten Tag verschoben.

Jetzt saß er neben Hedwig am Steuer seines Kleinwagens

und fuhr die Hegenheimerstraße hinaus Richtung Zoll. Es hatte seit gestern Nachmittag ununterbrochen geschneit. Die Straßen waren vereist, der Verkehr war fast am Erliegen. Die Wagenkolonne mit den schwarzen Elsässer Nummern, Autos von Grenzgängern, die in Basel teure Schweizer Franken verdienten und jenseits der Grenze mit billigen französischen Francs ihre Fertighäuschen bauten, rollte im Schritttempo, die Scheinwerfer eingeschaltet.

Der französische Zoll war wie immer nicht besetzt, nur der Schweizer Zöllner stand pflichtbewusst draußen, ein standhafter Schneemann, der auf ein Schweinsfilet von mehr als fünfhundert Gramm lauerte, das jemand unter dem Rücksitz versteckt hatte und unverzollt einführen wollte.

Hunkeler hatte ein gespaltenes Verhältnis zu diesen Zollmännern. Er hasste ihren ausgestreckten Zeigefinger, mit dem sie die Autos zum Anhalten zwangen, ihre versteinerte Freundlichkeit, mit der sie sich nach Waren erkundigten. Er wusste, dass etwas an ihm war, etwas Wildes, Unbotmäßiges, was sie sogleich Verdacht schöpfen ließ, wenn er unter ihre vaterländischen Augen kam, und er verachtete ihre Unterwürfigkeit, mit der sie den »Herrn Kommissär« zum Weiterfahren aufforderten, wenn sie einen Blick in seinen Ausweis geworfen hatten.

»Alles Untertanen«, sagte er, »die ganze helvetische Freiheitsbrigade. Die sollte man alle in Achtungstellung auf einen Eisberg stellen, der im Atlantik nach Süden treibt und langsam schmilzt.«

Hedwig lachte. »Reg dich ab, wir sind in Frankreich.«

»Das ist doch der blanke Hohn«, eiferte er sich, »dieses Arschloch steht im Schneesturm draußen wie die letzte Wacht am Rhein. Alle fahren um diese Zeit aus der Schweiz heraus, niemand fährt hinein. Aber der ist zu blöd, sich ins Zollhäuschen zu setzen und die Zeitung zu lesen.« Er nickte grimmig vor sich hin. »Was soll das überhaupt?«, schimpfte er. »Die EG steht vor der Tür, die Grenzen werden geöffnet, aber dieser Wachhund meint noch immer, er müsse die Schweiz verteidigen. Gegen wen denn, gegen wen? Gegen die Bourbaki-Armee vielleicht?«

Er hämmerte auf das Steuerrad, und dann musste er so scharf abbremsen, dass sich der Wagen zum Straßenrand hin drehte. Der Motor starb ab.

»Das war eine lange Rede«, sagte Hedwig, »und ein kurzer Stopp. Im Grunde bist du eben doch ein Choleriker.«

Hunkeler kochte. Nervös drehte er den Anlasser, der Wagen fuhr stotternd an. Das war die Höhe, dieser Schwachsinn. Da stand ein gutbezahlter Staatsbeamter im Schneefall draußen und schaute zu, wie die über 20 000 französischen Grenzgänger zurück ins Elsass fuhren. Aber wenn die Polizei einige Mann mehr verlangte, um endlich eine minime Chance gegen den Drogenhandel zu haben, war Ebbe in der Staatskasse. Und wenn man sich darüber empörte, weil man ein Mann mit Moral und Gewissen war, wurde man von der Frau, mit welcher man netterweise hin und wieder schlief, ausgelacht und als Choleriker beschimpft. Er hätte Lust gehabt, voll aufs Gaspedal zu treten und den Wagen durch die eisige Kurve in den Schneewalm hineinkrachen zu lassen. Selbstverständlich war er ein Choleriker. Und er hatte vor, noch möglichst lange ein Choleriker zu bleiben.

In Hegenheim teilte sich der Verkehr. Einige bogen nach links ab Richtung Hagenthal in die Hügel hinauf, die andern fuhren nach rechts die Rheinebene hinunter. Das alles ging freundlich vor sich, in angenehmer Sachlichkeit, der sich Hunkeler nicht entziehen konnte. Und obwohl ihm diese Gegend seit Jahren vertraut war, gefiel sie ihm plötzlich so, als sähe er sie zum ersten Mal.

In Hésingue vor dem einzigen Rotlicht weit und breit fragte er: »Wie ist's in der Schule gegangen?«

»Ach so«, sagte sie, »geht's besser?«

»Ich meine ja nur. Entschuldigung.«

»Sechs türkische Kinder«, sagte sie, »drei spanische, vier irgendwoher aus Jugoslawien, drei aus Vietnam, zwei aus Griechenland, und alle in einer Klasse, zusammen mit acht aus der Schweiz. Wie willst du da unterrichten? Ein Grieche hat heute ein Stellmesser mitgebracht, ein siebenjähriger Knirps. Und einer aus dem Kosovo hatte eine Steinschleuder bei sich, mit der kann er einen Kieselstein weit über das Schulhaus schießen. Er hat es mir gezeigt.«

»Steinschleudern hatten wir auch«, sagte Hunkeler, als er bei Grün durchfuhr und Richtung Hügel abdrehte, »damit haben wir auf Amseln und Spatzen geschossen. Auf Meislein und Rotschwänzchen nicht, aber auf Amseln und Spatzen. Stellmesser hatten wir nicht. Wozu auch?«

»Das frage ich mich auch«, sagte Hedwig.

»Wir sind nicht schuld. Wir tragen die Verantwortung nicht.«

»Die müssen zuerst Deutsch lernen«, insistierte Hedwig, »damit sie sich in der Klasse und mit mir verständigen können. Aber darum kümmert sich niemand.«

»Ach was. Die lernen das, was sie lernen müssen, von selbst.«

»Nein, das ist eine Katastrophe. Sie wachsen im Niemandsland auf. Ihre einzige Heimat ist der Fernseher.«

»Gut«, sagte Hunkeler, der den Stutz hinauffuhr, sorgfältig das Gas dosierend, damit die Räder nicht durchdrehten, »nehmen wir an, es ist eine Katastrophe. Und jetzt? Gehn wir essen oder nicht?«

»Aber sicher gehn wir essen. Was meinst du denn? Das hat doch damit nichts zu tun.«

Auf der Hochebene bei Trois Maisons blies ein bissiger Nordwestwind. Er zerrte am Auto, riss es plötzlich nach links, ließ es dann wieder los, so dass es fast in die Schneewehen rechts glitt. Das war wie eine Bootsfahrt auf stürmischem Meer, und in Hunkeler erwachte der Seemann. Er steuerte sanft und bedächtig, er hielt geradeaus auf die Rücklichter des Vorderwagens wie auf einen Leuchtturm zu, und wenn ihm ein passendes Lied eingefallen wäre, hätte er gesungen.

Das Haus, das er vor Jahren gekauft hatte (mit billigen französischen Francs), bestand aus einer halb verfallenen Scheune und einer kleinen Wohnung. Zwei Katzen standen davor, als er auf dem Vorplatz parkte, schnurrend, die Schwänze hochgerichtet.

Die Stube war eiskalt. Hunkeler war seit über zwei Wochen nicht mehr hier gewesen. Es war ihm immer etwas dazwischengekommen, ein später Einsatz in der Rheingasse, Schneebergers Geburtstag mit einem stinklangweiligen Essen im Freundeskreis oder schlicht ein Bier im Sommereck.

Er holte Holz in der Scheune, in die der Wind pfiff, und trug es in die Stube. Er schob eine zerknüllte Zeitung in den schweren Eisenofen und legte zerkleinertes Tannenholz darauf. Als die Flammen loderten, ließ er durch die obere Öffnung dicke Buchenscheite hineinfallen und schloss wieder zu. Die untere Tür ließ er offen, damit genügend Zugluft in die Flammen fuhr und sie nährte. Er setzte sich an den Tisch und rauchte langsam und genussvoll die erste Zigarette seit der Sauna. Er hörte die Flammen im Ofen, er spürte die Hitze aus dem massiven Gusseisen in den kalten Raum aufsteigen, er hörte irgendwo im Dorf einen Hund bellen. Dieser Ofen war das Zentrum des Hauses, er war die Feuerstätte, um die sich das Leben lagerte an diesem kalten Winterabend.

Er erhob sich und schloss die untere Ofentür bis auf einen Spalt weit zu, damit das Buchenholz schön langsam verglühen und seine gewachsene Wärme abgeben konnte.

Draußen stand Hedwig unter dem weit vorspringenden Dach und schaute zu, wie die Katzen fraßen.

»Los«, sagte Hunkeler, »gehn wir zu Jaeck und essen wir Wildschweinpfeffer mit Rotkohl, Äpfeln und Kastanien.«

Als sie kurz vor elf von Jaeck heimfuhren über die schmale Straße zwischen den beiden Dörfern, sang Hunkeler das schöne, alte Lied »Auf, Matrosen, zur See!«. Er kam aber nicht weit damit, denn er wusste nur die ersten paar Wörter auswendig, bis zu »goldenen Sternen«. Zudem musste er aufpassen, dass ihn der Nordwest nicht von der Straße trieb. Es war tatsächlich wie in seiner Jugend, er saß auf dem Schneepflug, der vom Motor durch die verschneite Pracht gezogen wurde.

Die Stube war wohlig warm. Peter legte noch einige Holzscheite nach. Dann stiegen sie ins hohe Bett, umarmten sich sorglos und gaben sich warm, so wie das die Menschen in solchen schwarzen Nächten von alters her getan haben.

In dieser Nacht wurde Basel eingeschneit wie seit Menschengedenken nicht mehr. Es schneite auf Straßen und Dächer, auf Gärten und Fluss. Die Flocken fielen echt grenzüberschreitend auf die ganze Rheinlandschaft, auf die drei Sonnenberge namens Belchen, den Belchen im Jura, den Belchen im Schwarzwald und den Belchen in den Vogesen. Der Schnee legte sich auf die drei Mondberge namens Blauen, den Blauen in den Vogesen, den Blauen im Schwarzwald und den Blauen im Jura. Die ganze oberrheinische Mulde wurde samt den umliegenden Bergen zugeschneit, als wäre sie ein Stück Grönland, und die Blaulichter blitzten über die Straßen.

Die Basler Schneeräumungsmannschaft war hoffnungslos überfordert. Es gelang ihr mit Mühe, die Hauptverkehrsadern offen zu halten. Die Nebenstraßen konnte sie nicht mehr pflügen, die Flocken fielen zu dicht. Zudem wurden mehrere Dutzend Bäume zu Boden gedrückt und entwurzelt, so dass sie die Fahrbahn blockierten. Es war schon um Mitternacht abzusehen, dass der folgende Morgen das Chaos bringen würde. Wer draußen in den Vorortgemeinden an einer abgelegenen Straße wohnte, in einem dieser putzigen Einfamilienhäuschen mit Bastelraum und der gähnenden Langeweile abgestandener Zweierbeziehungen, würde entweder zu Hause bleiben oder mit zwei, drei Stunden Verspätung am Arbeitsplatz erscheinen. Die Maschinen in Werkstätten und Fabriken würden nur zum Teil anlaufen, und Lehrerinnen und Lehrer würden vor ungewohnt kleinen Klassen stehen.

In dieser Nacht erhob sich kurz nach drei Uhr im Zimmer 125 des Hotels Drei Könige der Drogenkurier Guy Kayat von seinem Bett und trat ans Fenster. Draußen floss der Rhein, von dichtem Geflocke zugedeckt. Am gegenüberliegenden Ufer war nichts zu sehen, kein Baum, kein Licht. Unten lag der schmale Treidelweg. Nichts rührte sich dort, kein Fischermann weit und breit. Nur eine menschliche Spur lag im Zwielicht der Weiße des Schnees und der Schwärze der Nacht, von schweren Männerschritten gestampft, schon fast zugeschneit, aber mit immer noch deutlich sich abzeichnenden Rändern. Sie zeigte nach rechts in Richtung Treppe, die zur Schifflände hinaufführte.

Kayat stand reglos, eine Viertelstunde lang. Dann trat er ins Zimmer zurück, nahm aus der Reisetasche eine Taschenlampe, drehte sie an und legte sie so auf den Tisch, dass sie ihr schwaches Licht vom Fenster weg ins Zimmer hineinwarf. Er packte seine Siebensachen zusammen, zog sich an, steckte den Pass mit seinem neuen Namen Assad Harif ein, schlüpfte in den Kamelhaarmantel und setzte sich eine schwarzweiß karierte Schirmmütze auf. Dann ging er zur Terrassentür, öffnete sie und trat hinaus. Er hob die Tasche über die Brüstung und ließ sie fallen. Sie fiel weich. Ein bisschen Schnee stäubte auf.

Kayat zog die Terrassentür hinter sich zu, kletterte über

die Brüstung und umklammerte mit beiden Händen das Abflussrohr der Dachtraufe. Er schwang sich hinaus, stemmte sein Gewicht mit beiden Füßen von der Mauer weg und ließ sich hinuntergleiten. Seine Finger litten, das Rohr war eiskalt, aber er kam heil unten an. Er hob die Tasche auf, klopfte den Schnee ab und folgte Tritt für Tritt der Männerspur zur Schifflände hinauf.

Ein Lastwagen fuhr vorbei, sein schwerer Schneepflug schlug Funken auf dem Asphalt. Ein Taxi stand da, über und über mit Schnee beladen. Der Chauffeur schlief.

Kayat weckte ihn, stieg ein und ließ sich vom fluchenden Mann zur Autovermietung Stalder fahren.

Er fand sein Auto erst nach einigem Suchen. Die Nummern waren schneebedeckt, er musste mehrere freiwischen, bevor er die richtige fand. Es war ein roter Kleinwagen mit Antenne. Er setzte sich hinein, zog die Tür zu und schob seine Hände in die Hosentaschen auf die warmen Schenkel. Als er sich besser fühlte, startete er den Motor und setzte die Scheibenwischer in Betrieb. Er legte den Vierradantrieb ein und nahm befriedigt den Ruck, der durchs Getriebe ging, zur Kenntnis.

Der Wagen schaffte den vom Schneepflug aufgehäuften Walm mit einigem Schlingern. Dann glitt er zuverlässig über die geräumte Straße, fuhr über die Mittlere Brücke ins Kleinbasel hinüber und hielt nach einigen Umwegen durch die unübersichtlichen Einbahnstraßen vor dem Badischen Bahnhof an.

Kayat rauchte eine Zigarette und schaute zum Hauptportal hinüber, das geschlossen war. Kein Licht brannte, die Halle lag in tiefem Dunkel, die Züge fuhren noch nicht.

Er zog den Plan, den ihm der Concierge im gelben Briefumschlag gebracht hatte, aus der Tasche und betrachtete die drei eingetragenen Kreuze, welche die außerhalb des Bahnhofs liegenden Zugänge zur Kanalisation bezeichneten. Sie waren in der Legende als »Doleneisen« beschrieben, »mit einem Pickel oder starken Wagenheber wegschiebbar, wenn nicht verschraubt«.

Kayat schüttelte den Kopf. Was die sich vorstellten, diese Schreibtischtäter. Die meinten wohl, friedlich im Büro sitzend, das Whiskyglas in der linken Hand, die Zigarre in der rechten, es sei ein Vergnügen, mitten in der Nacht nach Dolendeckeln zu scharren wie ein Hund. Und was hieß eigentlich »wenn nicht verschraubt«? Wenn sie tatsächlich verschraubt waren, so brauchte man den passenden Schraubenschlüssel. Wo aber war ein passender Schraubenschlüssel aufzutreiben? Und gesetzt den Fall, es gelänge ihm, einen der drei eingezeichneten Dolendeckel unter dem Schnee zu lokalisieren und zu öffnen, was war dann? Dann wusste er immer noch nicht, wie er in den dunklen Röhren den Anschluss Badischer Bahnhof finden konnte.

Er hatte überhaupt keine Lust, in diese unterirdische Welt einzusteigen, das war nicht sein Revier. Versuche, wenn immer möglich, den Ort und die Zeit einer Auseinandersetzung, die unumgänglich ist, selber zu bestimmen! Das war eine der Grundregeln, die er in seinem Beruf gelernt hatte. Und der Ort da unten gefiel ihm nicht.

Einen Augenblick dachte er daran, sich sofort über die Grenze nach Mulhouse abzusetzen und sich dort zu verstecken, bis Gras über die Sache gewachsen war. Diese verfluchten Steine brachten ihm Unglück. Er hatte das schon im fahrenden Zug gespürt, er hätte sie am liebsten schon damals weggespült. Dann hätte er wenigstens nicht durch die Bahnhofshalle zur Herrentoilette zu rennen brauchen, hinter sich einen Schwarm Polizisten, er hätte zumindest die Basler Polizei vom Halse gehabt.

Die andern waren schon gefährlich genug. Die andern, die ihre Diamanten zurückhaben wollten, die ihn an der Gurgel hatten, ob in Basel, in Mulhouse oder sonstwo.

Plötzlich erstarrte er vor Schreck, sein Mund wurde wieder trocken wie Sand. Dort vorn kurvte ein Blaulicht aus der Seitenstraße, ein zweites folgte dicht dahinter, dann ein drittes. Die Lichter hielten auf den Bahnhof, direkt auf ihn zu. Was tat er hier? Wie konnte er seine Anwesenheit vor dem geschlossenen Bahnhofsportal zu dieser frühen Stunde erklären? Er merkte, wie seine Hand mit der Zigarette zitterte, wie in seiner Kehle der Hustenreiz aufstieg. Er krümmte sich aufs Steuerrad hinunter, er hustete bellend drei, vier Mal, bis ihm die Tränen in die Augen drangen.

Dann hörte er das Heulen schwerer Motoren. Er richtete sich auf und sah fassungslos zu, wie drei mächtige Lastwagen, seitlich rückwärts gestaffelt, mit hohen blanken Pflugscharen und drehendem Blaulicht vorbeiglitten, scheppernd und kratzend die gewölbte Schneewelle zur Seite schiebend.

Er wartete, bis die Laster verschwunden waren. Dann öffnete er das linke Seitenfenster, warf die bis auf den Filter heruntergebrannte Zigarette hinaus und nahm sich den Beschrieb der Garderobe der Kanalarbeiter an der Hochbergerstraße vor. Dort herrschte jetzt bestimmt Ruhe, dort gab es keine verschraubten Dolendeckel und keine stinkenden

Röhren. Dort wollte er jetzt einmal vorbeischauen, denn irgendetwas musste er ja tun.

Er fand die Garderobe auf Anhieb. Es war ganz einfach, die Tür einzudrücken. Niemand befürchtete hier einen Einbruch, niemand hatte mit starken Riegeln vorgesorgt. Die mannshohen Aluminiumkästen standen rechts an der Wand. Kayat leuchtete sie mit der Taschenlampe ab. Er brach drei der Türen auf und durchsuchte ihren Inhalt. Es war nutzlos. Sie enthielten nichts als gebrauchte Unterwäsche, schmutzige Pullover, stinkende Socken. Kayat richtete die Lampe auf die aufgeklebten Namensschilder. Er notierte sich fünf Namen. Zwei der Arbeiter waren offenbar italienischer Abstammung, zwei waren Jugoslawen, und einer hieß Erdogan Civil.

Kayat verließ die Garderobe und klemmte die Tür notdürftig ins Schloss. Zu vertuschen war der Einbruch ohnehin nicht. Er setzte sich ins Auto, fuhr ins Großbasel zurück und parkte vor dem Hotel Rochat am Petersgraben. Es war ein Zimmer auf seinen neuen Namen reserviert. Er verlangte ein Telefonbuch von Basel und Umgebung und fuhr mit dem Lift hoch. Er fühlte sich mies und zerschlagen, er sehnte sich nach Schlaf.

Auf dem Bett liegend, suchte er im Telefonbuch die notierten Namen. Drei fand er, nämlich die beiden Italiener, die unter derselben Nummer zu erreichen waren, und Erdogan Civil, der an der Lörracherstraße wohnte.

Peter Hunkeler hatte einen Traum. Es war am Altachenbach, an dem er aufgewachsen war im schweizerischen Mittelland. Dieser Bach war seine Heimat gewesen, seit er sich erinnern konnte. Der Wasserlauf, der sich nach jedem Sommergewitter einen neuen Weg durch die Schlammbänke suchte, die fein geäderten Eisflächen im Winter, auf denen leichter Schnee lag, die schwarzen Egel auf dem Grunde, von denen er sich nie einen in die Hand zu nehmen traute.

An diesem Bach war es, und zwar unter der Brücke, unter der es muffig roch und allerlei Gerümpel herumlag, den niemand mehr haben wollte. Da lag auch ein Gürtel aus geflochtenem Leder, achtlos weggeworfen. Dieser Gürtel lag in einem seltsamen Licht da, unwirklich wie ein Märchengegenstand, trotzdem höchst real, als gehörte er zu einer anderen, wirklicheren Welt. Und er war für ihn da, für Peter Hunkeler, für das Kind, das er einmal gewesen war und jetzt auf geheimnisvolle Weise plötzlich wieder aufs Neue war. Er wagte sich nicht zu rühren vor diesem Fund, weil er fürchtete, er könnte ihm im letzten Moment abhanden kommen, wegrutschen, sich wegschlängeln. Da hörte er einen Ton. Dieser Ton rief ihn von weit her, aus einer fernen Höhle vielleicht, mit der er im Moment nichts zu schaffen hatte. Dort lag der Gürtel, den galt es zu bergen. Aber da war wieder der Ton.

Hunkeler erwachte. Er hörte das Telefon draußen im Gang klingeln, er zählte achtmaliges Aufhören und Wiedereinsetzen des Tones, bis er begriff, dass er gemeint war.

Er schob Hedwigs Bein von seinem Unterschenkel, stieg aus dem warmen Bett, trat in den eiskalten Flur hinaus und hob ab. Es war Madörin.

»Bist du wahnsinnig«, sagte Hunkeler, »wie spät ist es denn?«

»Kurz vor sieben«, sagte Madörin. »Es tut mir leid, aber es sind ein paar Dinge geschehen, die dich vielleicht interessieren könnten.«

»Ich habe einen Traum gehabt«, sagte Hunkeler, »aber den erzähle ich dir nicht. Ein Gürtel aus geflochtenem Leder kam darin vor. Der war wie ein Tier, der war für mich.«

»Wach endlich auf«, sagte Madörin, »träumen kannst du später. Also pass auf: Erstens ist in die Garderoben der Kanalarbeiter an der Hochbergerstraße eingebrochen worden. Drei Kästen sind durchsucht worden. Heute Nacht war das.«

»Eingebrochen«, sagte Hunkeler, »so.« Er spürte die Kälte an seinen nackten Fußsohlen, wie sie aufstieg in seinen Körper. Durch das vergitterte Fenster der Haustür sah er draußen die Dunkelheit.

»Ja«, sagte Madörin, »der Nachtwächter hat es bemerkt und die Polizei angerufen.«

»Mitten aus dem Schlaf«, sagte Hunkeler und gähnte. Er hörte, wie Hedwig drinnen im Bett herumrutschte und wieder zu schnarchen begann.

»Meinst du eigentlich, es mache mir Vergnügen, dich aus dem Schlaf zu klingeln?«, fragte Madörin giftig.

»Entschuldigung. Hier draußen ist noch tiefe Nacht. Hier draußen ist tiefster Frieden.«

Madörin ging nicht darauf ein. »Zweitens: Kayat ist verschwunden.«

»Wie verschwunden?« Hunkeler spürte plötzlich Harndrang, den er kaum beherrschen konnte.

»Bist du jetzt endlich wach?«

»Ja, ich bin wach«, schrie Hunkeler in die Sprechmuschel. »Wie verschwunden?«

»Ich habe, als ich vom Einbruch erfuhr, sofort den Schneeberger im Drei Könige angerufen. Er saß in der Eingangshalle und war offenbar kurz eingenickt. Er ging nachschauen im Zimmer 125. Das Zimmer war leer. Ausgeräumt. Vogel ausgeflogen.«

»Und Haller?«

»Der war bis um zwei Uhr auf dem Treidelweg zum Rhein hin. Dann hat es ihm offenbar zu stark geschneit, und er ist für zwei Stunden nach Hause gegangen, um Kaffee zu trinken und sich aufzuwärmen.«

»Seid ihr alle übergeschnappt?«, schrie Hunkeler. »Ich habe gesagt, rund um die Uhr, und nicht, solange es euch passt.«

Er hörte, wie Hedwig in der Stube etwas murmelte, sie träumte.

»Die einen liegen im Doppelbett in der Bauernstube«, giftete Madörin, »die andern stehen in der Schneenacht draußen. Wie findest du das?«

»Gut«, sagte Hunkeler, »ich bin in einer Stunde an der Hochbergerstraße.«

Er legte auf, öffnete die Haustür, trat hinaus auf den Vorplatz und pisste in den hell schimmernden Schnee. Er schlotterte. Im Stall gegenüber hustete eine Kuh, mühsam und dumpf. Der Himmel über ihm war tiefschwarz. Eine Menge Sterne glitzerte darin. Die Luft war schneidend, eisig. Im Osten hing ein grauer Streifen der aufkommenden Dämmerung.

Als Hunkeler nach einer halben Stunde zusammen mit Hedwig losfuhr, lag bereits Licht über dem Dorf. Im Stall war das Saugen der Melkmaschine zu hören. Dort drin standen die dampfenden Tiere Leib an Leib, mit triefenden Mäulern Heu mampfend, schwere Dungfladen aus dem After drückend, jeder einzelne Leib ein wärmender Ofen.

Die Straße den Hang hinauf war so vereist, dass das Auto nicht weiterkam. Hunkeler suchte die Handschuhe im Handschuhfach. Sie waren nicht da. »Herrgott«, das war der einzige Fluch, der ihm einfiel. Er stieg aus, zerrte die Schneeketten aus dem Kofferraum und machte sich daran, sie über die Vorderreifen zu legen. Seine Verbitterung wuchs zur schieren Verzweiflung an, als er mit klammen Fingern die eiskalten Kettenglieder über das Gummiprofil riss, und er war den Tränen nahe, als sie beim ersten Fahrversuch nach wenigen Metern abfielen. »Nie mehr einen Polizisten«, hörte er Hedwig nebenan sagen, »nie mehr einen Freund und Helfer.«

In Hunkeler erwachte die kalte Wut. Er stieg wieder aus und schmetterte die Tür mit solcher Wucht zu, dass die Karosserie fast auseinanderfiel. Er glitt aus und wäre beinahe gestürzt, als er die Ketten vom Boden aufhob. Es gelang ihm, im Schnee kniend, keuchend, sie so an den Rädern zu befestigen, dass er die Haken korrekt in die dafür bestimmten Ösen einhängen und mit den Gummiringen festzurren konnte. Hedwig saß wie eine Mumie da, als er wieder einstieg, den Blick geradeaus gerichtet.

Als er oben über die Hochebene fuhr, links und rechts die reinen, keuschen Schneefelder, fing der Motor endlich zu heizen an. Die Sterne waren längst verschwunden, der

Osten war rosa, ein klirrend klarer Februarmorgen war das. Die Lichter des Flughafens in der Ebene unten brannten immer noch, dahinter lag die Stadt mit den hohen Verwaltungsgebäuden der Chemie, und etwas weiter rechts standen die dunklen Kirchtürme der Altstadt. Ein schönes Bild, dachte Hunkeler, fast ein Stück Heimat.

Erdogan Civil hörte den Wecker rasseln. Er blieb liegen in seiner gekrümmten Stellung, er spürte, wie sich Erikas Leib in seinem Rücken leicht verschob. Das Rasseln hörte auf.

Er behielt die Augen geschlossen und atmete regelmäßig. Er erinnerte sich, geträumt zu haben, irgendetwas von einer Stielhacke, die er auf dem Feld seines Vaters verloren hatte, und doch musste er das Feld hacken, damit neu angesät werden konnte. Es ging aber nicht nur um diese Hacke und um das Feld, es ging noch um etwas ganz anderes, viel Wichtigeres. Und plötzlich war der Stiel der Hacke eine Schlange, die sich bewegte und ihn in die linke Hand biss.

Er versuchte, seine linke Hand zu bewegen. Es ging ohne weiteres, sie war unverletzt. Es war eben nur ein Traum gewesen.

Er war es gewohnt, die verrücktesten Geschichten zu träumen, vor allem in den frühen Morgenstunden, wenn die schwere Nachtmüdigkeit von ihm gewichen war. Dann war er jeweils beim Aufwachen froh, Erikas Leib neben sich zu spüren. Gegen ihn vermochten die Träume nichts.

Er drehte sich auf die andere Seite, dehnte den Oberkörper und gähnte. Der Stiel einer Hacke, dachte er, der plötzlich eine Schlange wird. So ein Unsinn.

Schlangen hatte er in seiner Jugend genug gesehen, als er im Flussdelta die paar Kühe hüten musste, die sein Vater besaß. Er dachte an das magere Gras auf den Sandbänken, an das knietiefe Wasser, in dem die Kühe standen, um sich in der Hitze abzukühlen, an die Flamingos draußen in der Lagune mit den rosaroten Federn und den Hakenschnäbeln, die blitzschnell in die silbernen Fischschwärme tauchten. Und dann fielen ihm die Diamanten ein, die drüben auf dem Tisch lagen.

Diese Steine waren noch unwirklicher als der verrückteste Traum. Eine Handvoll Kiesel wie geschliffene Wassertropfen, heruntergefallen aus einer schmutzigen Röhre, leuchtend und bläulich blitzend mitten im Unrat, heruntergetropft vor seine Füße, in seine Hand. Das war, als ob ein Stern mitten aus dem Nachthimmel heruntergefahren wäre in die Lagune hinein, mitten unter die Flamingos, die dort auf stelzigen Beinen übernachteten.

Er hatte Glück gehabt, einmal in seinem Leben ein großes, unverdientes Glück. Der Himmel hatte ihn geküsst. Und er wagte sich nicht zu rühren vor Freude und Angst.

Da klingelte das Telefon. Erdogan setzte sich auf und schaute verständnislos zu, wie Erika aus der Küche kam, zum Telefon ging und abhob.

»Ja«, sagte sie, »hier wohnt Erdogan Civil. Einen Moment bitte.«

Sie legte den Hörer neben die Gabel.

»Ein Mann«, flüsterte sie, »er will dich sprechen. Ein fremder Mann, kein Schweizer.«

Erdogan erhob sich und hielt sich den Hörer ans Ohr. »Ja?«

Er hörte eine ruhige, feste Männerstimme, die sagte: »Hör mal, du armes Türkenschwein. Du arbeitest doch in der Kanalisation.«

»Ja«, sagte Erdogan, und seine Hand zitterte.

»Keine Angst«, sagte die Stimme, »ich tu dir nichts an. Ich will dich bloß informieren. Ich habe eine Handvoll Diamanten verloren. Sehr schöne Ware, sehr viel Geld. Sie liegen in der Kanalisation beim Badischen Bahnhof. Solltest du sie finden, so musst du wissen, dass sie mir gehören. Und dass ich sie zurückhaben will. Begriffen?«

»Nein«, sagte Erdogan, »die gehören mir.«

Er erschrak, er nahm den Hörer in die andere Hand, die weniger zitterte.

»Ach so«, sagte die Stimme. Dann war Stille. Erdogan wollte schon auflegen, aber da meldete sich der Mann wieder.

»Schau an«, sagte er, »du hast sie also gefunden.«

»Nein«, schrie Erdogan, »ich weiß überhaupt nicht, von was Sie reden.«

»Doch, du weißt es genau. Ich begreife gut, dass du sie gern behalten möchtest. Wer möchte nicht gern eine Handvoll Diamanten haben in dieser traurigen Zeit, nicht wahr?« Die Stimme lachte, nicht unfreundlich. »Aber das geht leider nicht. Diese Diamanten gehören nicht dir, sondern mir. Begriffen?«

»Jetzt hören Sie endlich auf, bitte«, flehte Erdogan, »wer sind Sie überhaupt?«

»Das tut nichts zur Sache«, sagte die Stimme leichthin,

als hätte sie übers Wetter geredet, »ich bin ein Freund von dir, verstehst du? Und unter Freunden bestiehlt man sich nicht. Das wirst du bestimmt einsehen, nicht wahr? Sonst müsste ich dich bestrafen. Du lebst doch mit einer Frau zusammen, mein Freund? Überlege es dir aber nicht zu lange. Ich melde mich wieder. Bleib sauber, mein Freund, und bitte keine Polizei. Begriffen?«

Man hörte den Atem des fremden Mannes, der offenbar Tabakrauch ausstieß. »Begriffen?«

»Ja«, flüsterte Erdogan.

»Gut, ich bin stärker als du. Viel stärker. Das musst du einsehen.« Er legte auf.

Erdogan stand da, im Pyjama mit nackten Füßen, den Hörer in der Hand, und schaute Erika an, die wortlos zugehört hatte. Von draußen war die Fräsmaschine aus der Schreinerei zu hören, ein hoher, sirrender Ton. Kaffeeduft lag im Raum, ein schwerer, bitterer Geruch.

»Leg auf«, sagte Erika. Sie ging in die Küche, Erdogan hörte sie hantieren. Dann erschien sie mit dem Frühstückstablett, schob die Diamanten auf dem Tisch zur Seite und stellte es hin. »Leg endlich auf«, sagte sie, »und komm essen.«

Erdogan legte den Hörer auf die Gabel zurück, behutsam, als ob etwas kaputtgehen könnte. Er setzte sich, nahm die Kaffeetasse, die Erika ihm vollgeschenkt hatte, trank einen Schluck.

»Wer war das?«, fragte sie.

»Das war ein Mann, der weiß, dass ich die Diamanten habe. Er will sie zurückhaben. Er hat gesagt, er sei stärker als ich.«

Sie strich sich Mettwurst aufs Brot, langsam und genau. »Siehst du«, sagte sie, »es wird nichts daraus.«

Erdogan schaute ihr zu, wie sie aß. Wie ein Schaf, dachte er, das von nichts eine Ahnung hat, wie ein dummes, wiederkäuendes Koyun.

»Was schaust du mich so saudumm an?«, fragte sie. »Ich habe dir von Anfang an gesagt, daraus wird nichts.«

Erdogan schüttelte den Kopf, immer und immer wieder. »Woher weiß er es? Woher hat er meinen Namen?«

Sie strich ein zweites Brot und schob es ihm hin. »Iss«, sagte sie, »und trink Kaffee, so wirst du wach. Dann rufst du die Polizei an.«

»Nein«, sagte Erdogan, »das mache ich nicht.«

»Weißt du, was du diesem Mann am Telefon soeben gesagt hast?«, fragte sie. »Weißt du das?«

Erdogan nahm das Wurstbrot und biss hinein. Es schmeckte wie Sand.

»Du hast ihm gesagt: ›Nein, die gehören mir.‹ Du hast ihm damit gesagt, dass du sie hast.«

»Jetzt hör endlich auf, mich zu kritisieren, ja? Hilf mir lieber.«

Sie schenkte Kaffee nach. »Du bist viel zu dumm für die«, sagte sie, »du hast überhaupt keine Chance. Und etwas will ich dir ganz klar sagen. Ich will dich wegen dieser Diamanten nicht verlieren. Hast du das begriffen?«

»Das ist meine Sache«, sagte er, »Männersache. Davon verstehst du nichts.«

Er sagte das so fest, wie er konnte. Er schaute sie aus zusammengekniffenen Augen an, und er sah, dass ihr Gesicht plötzlich weiß war, weiß wie Schnee.

Er erhob sich, holte in der Küche einen Plastiksack, nahm aus der Kommode ein frisches Taschentuch und trat an den Tisch. Sorgfältig ließ er die Diamanten ins Taschentuch rieseln, wickelte es zu einem Bündel und legte es in den Plastiksack. Erika schaute ihm zu, wortlos, sie hatte wieder etwas mehr Farbe. Sie begann, ihm die Wurstbrote für den Mittag zu streichen.

Als er sich angezogen hatte, nahm er die Wurstbrote und stellte sich vor sie hin. Sie saß noch immer im Morgenrock da, ungekämmt, mit fettigen Lippen, wie ihm schien. Den Blick hatte sie auf den Tisch geheftet.

»Das ist meine Sache«, sagte er noch einmal, »Männersache.« Er ging hinaus.

Das Treppenhaus war leer wie immer. Heruntergerieselter Gips auf den Stufen, feuchte Flecken an den Mauern, ein Geruch nach Kälte und Staub. Unten im Durchgang musste er einen Moment lang warten, da ein Gabelstapler vorbeifuhr, beladen mit Brettern.

Es war hell geworden draußen. Die Straße schien zu leuchten vom vielen Schnee. Er lag festgetreten und festgefahren auf Trottoir und Fahrbahn, er türmte sich auf den geparkten Autos. Nur wenige Menschen waren unterwegs. Die Autos bewegten sich im Schritttempo. Zwei Häuser weiter vorn auf der Kreuzung fuhr ein Tram vorbei, mit beschlagenen Scheiben. Es war nichts Auffälliges zu sehen, nur der Schnee war neu.

Schräg gegenüber stand der Amerikanerwagen, vom roten Faltdach war nichts mehr zu sehen. Erdogan wartete eine Weile im Schatten des Türbogens. Niemand bemerkte ihn, kein fremder Mann trat auf ihn zu mit gezücktem Messer. Er hob den Blick zum Himmel empor, der hell schimmerte.

Er überkletterte den Schneewalm im Straßengraben und ging hinüber zum Auto. Es gelang ihm, die linke Vordertür freizubekommen und aufzureißen. Er setzte sich hinein und drehte mehrmals den Anlasser. Der Motor stotterte ein bisschen, sprang aber nicht an, er war zu kalt.

Erdogan stieg aus und ging hinüber zum Fahrradparkplatz, wo sein Moped stand. Er klemmte seine Tasche auf den Gepäckträger, stieß den Motor an und sprang auf den Sattel. Sorgfältig steuerte er über die Kreuzung, die Füße am Boden schleifend, um das Wegrutschen der Räder auffangen zu können.

Er schaute weder links noch rechts, die Fahrbahn war vereist. Zudem hätte er einem möglichen Verfolger ohnehin nicht entkommen können. Wenn einer hinter ihm her war, dann in Allahs Namen. Er musste da durch, da half nichts, und er hatte vor, die Diamanten mit allen Mitteln zu verteidigen.

Peter Hunkeler fuhr Richtung Kleinbasel. Er hatte soeben Hedwig vor dem Schulhaus St. Johann abgeladen. Er hatte kurz einen Blick in den Pausenhof geworfen zu den Kindern, die dort in roten und gelben Plastikjacken im Schnee herumrannten. Dann hatte er erstaunt zur Kenntnis genommen, wie ihn Hedwig umarmte und küsste. Das war das Einmalige an ihr, dachte er, dass sie ihren Stimmungen so souverän nachgeben konnte.

Er fuhr am Gelände der Alten Stadtgärtnerei vorbei, wo vor Jahren junge Leute ein autonomes Jugendzentrum aufgebaut hatten. Es hatte zwar gut funktioniert, war aber illegal gewesen und in einer Volksabstimmung von der Spießermehrheit abgelehnt worden. Und die Polizei hatte geräumt.

Hunkeler hätte sich damals geweigert, wenn er zu diesem Einsatz aufgeboten worden wäre, denn er wusste, dass seine Tochter Isabelle dabei war. Wie hätte er seine Tochter vertreiben können?

Aber so war das nun einmal, so war sein Leben. Er war Angehöriger der Basler Polizei, und die Basler Polizei wurde von Ordnungsspießern befehligt, die einzig und allein das Ziel hatten, unter allen Umständen Ruhe und Ordnung zu bewahren und die Macht der älteren Generation zu garantieren.

Die Polizei war kein demokratisches Machtmittel mehr in dieser Stadt, dachte er, mit dem die Minderheiten, zum Beispiel die Jugend, geschützt wurden, sondern die Polizei war ein Machtmittel der Mehrheit geworden, das unter dem Vorwand der Legalität dazu eingesetzt wurde, die Minderheiten zu unterdrücken.

Er bog ab auf die Dreirosenbrücke. Noch immer lag Eis auf der Fahrbahn, aber es war matt geworden, dumpf, sei es vom Salz, das gestreut worden war, sei es von der Wärme der Auspuffgase oder des aufkommenden Morgens. Der Himmel war nicht mehr so klar wie von Trois Maisons aus. Weiße Schlieren hingen dort oben, feines, unstrukturiertes Gewölk, erstes Anzeichen für einen baldigen Wärmeeinbruch.

Die Brücke war in beiden Richtungen verstopft, Laster stand hinter Laster, zweispurig, jeder mit Anhänger. Lange Ungetüme mit dampfenden Auspuffrohren, die Planen mit französischen, deutschen und skandinavischen Schriftzügen bemalt. Einige hatten Ketten an den Antriebsrädern. Eine Transport-Armada von gewaltiger Tonnage war das, beladen mit Kühlbehältern, Chemikalien, Ersatzteilen. Dazwischen die Autotransporter mit einem Dutzend schräg gestellter Neuwagen hintendrauf, neues Rollmaterial für den immer sinnloser werdenden Autoverkehr.

Hunkeler drehte den Motor ab. Das war Vorschrift, um die Umwelt zu schonen. Er glaubte zwar in keiner Weise an die Wirksamkeit dieser Maßnahme. Ein klein wenig indessen beruhigte sie sein Gewissen.

Warum eigentlich sollte er sich ein Gewissen machen? Alle Welt fuhr Auto, obwohl im Grunde alle dagegen waren. Hätte er vielleicht mit dem Fahrrad ins Elsass fahren sollen, bei dieser Kälte, bei diesem Schnee? Und überhaupt, war er denn verantwortlich für die Umwelt? Hätte sein Verzicht auf das Auto irgendetwas bewirkt? Nein, er hätte nichts bewirkt.

Er versuchte sich zu entspannen. Ich bin ganz ruhig und entspannt, murmelte er, und auch meine linke Hand ist schwer und warm. Weiter kam er nicht, die Sätze ödeten ihn an.

Er schloss die Augen, und er sah vor sich einen Tümpel im Auwald liegen. Es war auf einem Spaziergang gewesen, als Isabelle sieben oder acht Jahre alt gewesen war. Sie waren zusammen nach Kembs hinuntergefahren und hatten den Wagen auf der Insel zwischen dem schiffbaren Kanal und dem alten Rhein geparkt. Dann waren sie dem alten Flusslauf entlanggegangen, in den Ohren das Motorengeräusch von der gegenüberliegenden deutschen Autobahn, vor den Augen das gurgelnde Wasser. Es war Abend gewesen, ein warmer Sommerabend, die Vögel hatten gepfiffen und gesungen, und drei Reiher waren flussabwärts geflogen. Er wusste das noch genau, er hatte das Bild der weitgespannten Flügel am Himmel oben, der vorgestreckten Schnäbel und der nachgezogenen Stelzenbeine noch immer vor Augen, weil es eine unglaubliche, kaum fassbare Schönheit gewesen war.

Später waren sie auf einen Tümpel gestoßen, auf ein Stück stilles, ruhendes Wasser, abgetrennt vom Flusslauf durch eine Schlammbank, auf der Weiden wuchsen. Allerlei Papier und Plastikfetzen hingen in ihrem Laub, Zeugen eines Hochwassers, welches das ganze Flussbett überflutet hatte.

Das Wasser in diesem Tümpel war glasklar. Jede Pflanze, die darin wuchs, war zu sehen, in prallem Grün, jede Wasserblüte, als hätte sie in einem Tropenhaus geblüht. Jeder Fisch, der darin stand, war genau erkennbar wie in einem Aquarium. Und ganz nah am Ufer lag ein Egel, ein schwarzer Wurm, reglos, als wäre er ein Stück Holz, aufgetaucht aus einem Kindertraum.

Isabelle fragte, ob sie hineinwaten dürfe. Er nickte. Sie zog sich die Schuhe aus, schürzte den Rock hoch. Sie watete in diesem Tümpel herum, bestimmt eine Viertelstunde lang, mit sichtlichem Vergnügen behutsam Schritt vor Schritt setzend, immer wieder hinüberschauend zu ihrem Vater am Ufer, ob er auch zusehe.

Er schaute zu. Er war hingerissen. Er sah, wie seine Tochter durch diesen durchsichtigen Spiegel schritt, in dem sich der Himmel spiegelte, aus dem heraus die Wasserpflanzen leuchteten, er sah, wie ihre Schritte leichte Wellen über die Oberfläche trieben, die den Himmel und die Pflanzen zum Schaukeln brachten, und er begriff, dass er dieses Kind über alles liebte.

Sie war dann wieder ans Ufer gekommen und hatte sich die Schuhe angezogen, wortlos. Sie waren zurückgewandert zum Auto, zu zweit durch den hereinbrechenden Abend, stumm wie die Fische.

Seit jenem Abend war Hunkeler seiner Tochter mit Zurückhaltung, ja mit Scheu begegnet. Er hatte sich zurückgezogen von ihr, weil er begriffen hatte, dass ihm diese junge Frau nicht mehr gehörte. Nur dieser Abend gehörte ihm, diese Viertelstunde am Wasser mit dem sich teilenden Spiegel.

Inzwischen war Isabelle aus seinem Gesichtskreis verschwunden. Sie hatte in München eine Graphikschule besucht, war dann nach Basel zurückgekommen und hatte in einem Werbebüro gearbeitet. Als die Alte Stadtgärtnerei besetzt wurde, war sie von Anfang an dabei gewesen und hatte alle ihre Zeit und Energie eingesetzt, gratis selbstverständlich.

Nach der Räumung und Zerstörung war sie ins Ausland gereist. Einmal hatte Hunkeler eine Karte aus Griechenland erhalten. Absendeort war die Insel Ikaria, wo sie offenbar mit einem späten Trupp Hippies in einem Zelt an einem Wasserlauf wohnte, in dem Aale und Schildkröten lebten, wie sie schrieb.

Hunkeler öffnete die Augen wieder. Dieses Einsinken in die Vergangenheit, dachte er, dieses Träumen, bis das Wasser aus allen Erinnerungsfugen tropft, was nützt das? Ich bin Polizist, ich bin auf der Seite der Macht, und ich habe meine Tochter für alle Zeiten verloren.

Damit musste er leben, das wusste er. Er hatte sich eben angepasst, das heißt, er hatte sich anpassen müssen. Was hätte er sonst tun sollen? Wie hätte er das Geld verdienen sollen für seine Familie, für Frau und Kind? »Was soll mir Weib, was soll mir Kind?«, dachte er und grinste kurz und boshaft, als ihm dieser Vers einfiel, den er einmal hatte auswendig lernen müssen. Hätte er vielleicht trotz allem ein Clochard werden sollen in Paris, ein Säufer mit Hut und Mantel und Weinflasche, über dem Metroschacht nächtigend oder unter einer Brücke? Oder wäre er besser ein Sozialfall geworden in der friedlichen Schweiz, ein Obdachloser mit starkem Charakter und unbändigem Freiheitsdrang, aber ohne Geld, herausgefallen aus dem sozialen Netz, wie das amtlich hieß, schikaniert und verjagt von der Polizei?

Nein, das hätte er nicht gekonnt, er war nicht willensstark genug, er war zu schwach. Und auch Isabelle würde sich eines Tages anpassen müssen. Ob ihm das gefiel, ob ihr das gefiel, spielte keine Rolle. Spätestens im Moment, in dem sie ein Kind gebar, würde sie gezwungen sein, sich in die Gesellschaft einzugliedern und ihre Spielregeln zu akzeptieren. An einem Bach auf einer griechischen Insel, in Gesellschaft von Aalen und Schildkröten, zieht niemand ein Kind auf, dachte er, sie muss und wird zurückkommen.

Er merkte, dass ihn seine Gedanken anödeten. Aber er

hatte keine anderen zur Verfügung, er musste die nehmen, die ihm einfielen, auch wenn sie reaktionär, ja hoffnungslos waren. Lieber ehrlich und reaktionär als verlogen und progressiv, dachte er, und jetzt musste er fast kotzen vor Wut über das, was er dachte. Wer war er denn? War er wirklich das allerletzte Häufchen Dreck auf Gottes Erdboden?

Er hörte das Aufheulen des Lastwagenmotors vor ihm, der Auspuff stieß eine Rußwolke aus. Dann rollte das Gefährt an, und die ganze Kolonne setzte sich in Bewegung.

Als Hunkeler bei der Garderobe der Kanalarbeiter an der Hochbergerstraße vorfuhr, war es kurz vor acht. Madörin war da und Haller, sie tranken Kaffee aus Pappbechern. Daneben standen mehrere Männer in Arbeitskleidung. Einer davon hieß Berger, war Vorarbeiter und stellte seine Kollegen vor: Luigi Violi, Sandro Berzoni, Duro Stepanovic. Zwei fehlten noch, vermutlich waren sie vom Schnee aufgehalten worden.

»Wo ist Schneeberger?«, fragte Hunkeler.

»Er sitzt, wie vorgeschrieben, in der Eingangshalle des Hotels Drei Könige«, meldete Haller, deutlich und pflichtbewusst.

»So. Und was tut er dort?«

»Vielleicht kommt Kayat ja zurück«, sagte Haller, »man weiß ja nie.«

»Vielleicht hat er etwas vergessen und kommt es holen. Meinst du das?«

Haller zog seine Pfeife aus der Tasche und kratzte sie

umständlich aus. »Mach mich nicht fertig. Ich weiß, dass ich ein Arschloch bin. Es war eben eine heavy Kälte.«

»Wie bitte«, schrie Hunkeler, »eine was?«

»Es war saukalt. Weit und breit kein lebendiger Knochen. Nur Schnee. Da drehst du durch.«

»Ihr seid zwei heavy Arschlöcher.« Hunkeler drehte sich weg und spuckte in den Schnee. »Gibt es Spuren?«

»Ja. Er ist irgendwie über den Balkon gesprungen. Ich habe den Abdruck seiner Tasche im Schnee gefunden.«

»Du gehst jetzt zu Schneeberger ins Drei Könige und sagst ihm, er solle zusammen mit Lüdi die Hotels von Basel und Umgebung nach Kayat abklopfen, wahrscheinlich hat er sich einen neuen Namen zugelegt.«

Haller leerte die Tabakreste in seinen Pappbecher und warf diesen in den Mülleimer. Er ging wortlos hinaus, er war beleidigt.

Hunkeler wandte sich zu Berger. »Ist irgendetwas gestohlen worden?«

»Nein, nichts«, sagte der, »die ganze Sache ist mir unbegreiflich. Vielleicht war es ein Drögeler, der Geld für den nächsten Schuss brauchte. Die sollte man meiner Meinung nach alle an die Wand stellen.«

»Hören Sie auf, ich kann das nicht mehr hören.«

Berger schaute ihn erstaunt an. »Aber Sie sind doch von der Polizei.«

»Ja, ich bin von der Polizei«, schrie Hunkeler, »und es wird hier niemand an die Wand gestellt. Haben Sie das endlich begriffen?«

»Reg dich ab«, sagte Madörin, »er hat es ja nicht so gemeint.«

»Es sind übrigens drei Kästen aufgebrochen worden. Nur drei. Nicht alle. Das ist doch seltsam.«

Hunkeler riss eine Zigarette aus der Schachtel, zündete sie aber nicht an. Wie hatte er es denn gemeint, dieser Idiot? »Gut«, sagte er, »schauen wir dort nach.«

Berger holte ein Stemmeisen und wuchtete die Türen ohne weiteres auf. Madörin griff hinein und brachte schmutzige Wäsche zum Vorschein.

»Der da gehört Miroslav Ivanovic«, sagte Berger, »und der Erdogan Civil.«

»Ein Türke?«, fragte Hunkeler.

»Ja, ein guter Arbeiter, bescheiden und zuverlässig. Gestern hat er zum ersten Mal gefehlt.«

»Warum?«, fragte Hunkeler.

»Er hat angerufen, er habe Zahnschmerzen.«

»Nehmen wir einmal an«, sagte Hunkeler, »es wirft jemand eine Armbanduhr in die Toilette. Sie wird hintergespült in die Kanalisation. Besteht eine Möglichkeit, dass einer der Arbeiter diese Uhr findet?«

Berger nickte. »Was meinen Sie, was wir schon alles gefunden haben. Schlüssel, Eheringe, künstliche Zähne.«

»Und Diamanten?«, fragte Hunkeler.

»Schön wär's. Solche Sachen bleiben gern an bestimmten Stellen liegen, dort, wo zwei Röhren nicht bündig liegen und einen Überzahn bilden.«

»Überzahn?«, fragte Hunkeler.

Berger legte die Hände gegeneinander, so dass die Fingerbeeren der rechten Hand die Nägel der linken Hand bedeckten. »So sieht das aus. Das ist wie ein kleines Stauwerk.«

»Hat jemand an einem solchen Überzahn Diamanten gefunden?«

Berger kniff die Augen zusammen. »Warum Diamanten?«

»Es könnte sein«, meldete sich Madörin zu Wort, »dass jemand zum Beispiel auf der Toilette des Badischen Bahnhofs Diamanten hinuntergespült hat.«

Berger schüttelte den Kopf. »Nein, tut mir leid. Das wär's, Diamanten in der Scheiße. Was meinst du, Luigi?«

Auch Luigi schüttelte den Kopf, lachte. Dann verschwand sein Lachen, er überlegte. »Heute Morgen«, sagte er, »als ich noch schlief, hat mich ein fremder Mann angerufen und gefragt, wo ich die Diamanten versteckt habe.«

»Ja«, sagte der andere Italiener, »irgend so ein Arschloch. Der hat uns mitten aus dem Schlaf geholt.«

»Und Sie?«, fragte Hunkeler den Jugoslawen. »Hat Sie auch einer angerufen?«

»Nein, ich habe kein Telefon. Aber ich bin vorschriftsmäßig angemeldet, alles in Ordnung, alles ehrlich.«

Draußen fuhr ein Moped heran. Ein kleiner Mann saß drauf mit rotem Helm. Er stieg ab, zog den Zündschlüssel aus dem Schloss. Dann klemmte er einen Plastiksack auf den Gepäckträger, nahm seine Tasche und kam herein. Er blieb verwundert stehen, als er die fremden Männer sah. »Entschuldigung«, sagte er, »ich weiß, dass ich zu spät bin. Der Schnee.«

Er trat zu seinem Kasten. »Warum ist er offen?«

»Das ist Erdogan Civil«, stellte Berger vor.

Hunkeler drehte die Zigarette zwischen Daumen und Zeigefinger.

»Freut mich«, sagte er, »wie geht's Ihrem Zahnweh, Herr Civil? Besser, hoffe ich?«

Der kleine Mann zögerte. Er nahm den Helm ab, seine Stirnglatze war gerötet. »Danke, ja, es ist besser.«

»Wo saß der Schmerz genau?«, fragte Hunkeler.

Civil öffnete den Mund und zeigte mit einem Finger nach hinten oben links. »Hier.«

Madörin nahm die Tasche des kleinen Mannes und leerte sie aus. Drei in Alufolie eingepackte Brote fielen heraus, eine Bierflasche kollerte zu Boden, zerbrach aber nicht.

»Wurstbrote«, sagte Civil, »Mettwurst. Was wollen Sie?«

»Hier ist eingebrochen worden«, erklärte Hunkeler, »heute Nacht. Wir fragen uns, weshalb. Wissen Sie es? Ich heiße übrigens Peter Hunkeler und bin Kommissär bei der Basler Polizei. Haben Sie eine Ahnung, was hier jemand hätte suchen können?«

»Nein. Hier gibt es nichts zu stehlen. Wir sind arm wie die Ratten.« Er runzelte die Stirn und betrachtete die Bierflasche auf dem Boden. »Darf ich meine Sachen wieder einpacken?«

Madörin bückte sich und hob die Flasche auf. »Wir machen das schon. Entschuldigung. Wie ist das übrigens? Dürfen Sie Bier trinken, als Türke, meine ich? Oder sind Sie Christ?«

»Nein, Muslim. Aber ich trinke das, was ich trinken will und was mir guttut.«

Hunkeler klopfte ihm leicht auf den Rücken. »Da haben Sie recht. Allah schaut in die Seelen der Menschen und nicht in die Mägen, nicht wahr?«

Der kleine Mann schaute ihn verständnislos an, drehte sich weg und zog den Mantel aus.

»Übrigens«, sagte Hunkeler, »hat Sie heute Morgen ein Mann angerufen und sich nach Diamanten erkundigt?«

»Nein, sicher nicht.«

»Warum sagen Sie: ›Sicher nicht‹?«, bellte Madörin. »Warum sagen Sie nicht einfach nein?«

»Ich weiß nicht, was Sie von mir wollen«, sagte der kleine Mann, »es tut mir leid.«

Berger tippte sich an die Schläfe. »Es kommt mir etwas in den Sinn. Vorgestern nach Feierabend musste Herr Civil noch einmal hinunter. Der Anschluss Badischer Bahnhof war verstopft. Civil hat ihn wieder aufgemacht.«

Hunkeler schob sich die Zigarette zwischen die Lippen und zündete sie an. »Und? Was haben Sie gefunden?«

Civil überlegte ziemlich lange. Er schüttelte langsam den Kopf. Dann schien er sich zu erinnern. »Stimmt, ich war unten. Es waren Windeln und solche Sachen. Und dann lag noch ein grünes Frauenkleid darin, wenn Sie das meinen. Es war zerrissen und verschissen.«

Er stand da, als ob er nicht weiterwüsste, unterwürfig fast, mit niedergeschlagenen Augen. Es war ihm nicht wohl, das war deutlich zu sehen. Aber wem war es schon wohl, wenn er von der Polizei ausgefragt wurde?

Hunkeler zögerte. Das war vielleicht alles Zufall, der verstopfte Zubringer, das Zahnweh, der Einbruch. Er schaute die Männer an, die im Raum standen. Sie hatten gute Gesichter, das waren keine Verbrecher, und wenn jemand von ihnen das Glück haben sollte, unverhofft eine Handvoll Diamanten zu finden, so war ihm das gewiss zu gönnen.

»Hören Sie mal«, sagte Madörin, der die Beine breit gestellt hatte, Hüften nach vorn geschoben und Nacken gestreckt, die typische polizeiliche Drohhaltung war das, lächerlich und doch gefährlich, »hören Sie mal, Herr Civil, wenn Sie meinen, Sie können uns Märchen erzählen, so täuschen Sie sich. Wir sind hier nicht in der Türkei. Hier wird ehrlich und sauber die Wahrheit gesagt. Sie sind doch Saisonnier, oder nicht?«

Der kleine Mann hob die Augen. »Ich bin ein ehrlicher Mann, ein Mann von Wort, glauben Sie mir.«

Hunkeler drückte die Zigarette aus. Er nahm sich Zeit, bis die ganze Glut ausgegangen war. »Die Sache ist die«, fing er an, »dass eine Sendung hochkarätiger Diamanten auf dem Badischen Bahnhof verschwunden ist, vermutlich in der Toilette, also in der Kanalisation. Diese Diamanten sind Drogenerlös. Das heißt, die gehören Leuten, die in großem Stil mit Drogen handeln. Das sind Verbrecher, die vor nichts zurückschrecken. Auch nicht vor Mord, Herr Civil.«

»Nein«, sagte der kleine Mann, »mit Drogen habe ich nichts zu tun.«

»Das behaupte ich auch nicht. Aber wenn Sie die Diamanten gefunden haben sollten, was ja immerhin sein könnte, nicht wahr, Sie finden ja auch hin und wieder Eheringe und Gebisse, wenn Sie also die Diamanten gefunden haben sollten, so sind Sie in höchster Gefahr. Verstehen Sie?«

Civil setzte sich auf die Bank und legte den Kopf in beide Hände. »Jetzt ist das Zahnweh wieder da«, sagte er, »da oben links. Es klopft bei jedem Schlag des Herzens.«

»Wie Sie meinen«, sagte Hunkeler. »Wenn Sie sich anders besinnen, so rufen Sie uns an. Vielleicht kommen wir Sie einmal besuchen, in Ihrer Wohnung, meine ich. Wo wohnen Sie?«

»Lörracherstraße. Ich verstecke nichts zu Hause.«

»Wo denn?«, bellte Madörin.

Civil hob den Kopf. »Es wäre schön, Diamanten zu finden. Dann wäre ich ein reicher Mann und müsste nicht mehr in einem fremden Land die Scheißröhre putzen.«

»Wie meinen Sie das?«, bellte Madörin und trat einen Schritt vor.

»Ich meine, da ich leider keine Diamanten gefunden habe, muss ich weiterhin die Scheißröhre putzen.«

»Hör auf«, sagte Hunkeler zu Madörin, »du sollst die Leute nicht einschüchtern. Es geschieht jetzt Folgendes. Du steigst mit einem Arbeiter zum Anschluss Badischer Bahnhof hinunter.«

»Warum gerade ich?«, schimpfte Madörin.

»Einer muss es tun. Und Sie«, er wandte sich an Berger, »sorgen dafür, dass hier neue Schlösser hinkommen.«

Er trat hinaus auf den Vorplatz. Er fühlte sich müde, schlapp. Vor ihm stand das Moped, ein altes Modell mit aufgerissenem Sattel. Ein Plastiksack mit dem Schriftzug einer Zigarettenmarke war hintendrauf festgeklemmt. Hunkeler stieg in sein Auto.

Erika Waldis bediente den letzten Kunden an diesem Morgen, einen alten Mann, der ein Pfund Brot, Typ Basler Laibli, hundert Gramm Butter und eine Schachtel Wellensittichfutter gekauft hatte. Sie schloss die Kasse und zog den Schlüssel ab. Die Uhr in der Eingangshalle, wo die Einkaufswagen verstreut herumstanden, zeigte halb eins. Das Licht wurde abgeschaltet, die Regale lagen im Dämmerlicht, düster wie im Tannenwald.

Sie dehnte ihren Oberkörper, streckte die Arme so weit hoch wie möglich, stellte sich auf die Zehenspitzen, fünf Sekunden lang. Dann ging sie langsam in die Knie und versuchte, die Fersen auf dem Boden zu behalten, ebenfalls fünf Sekunden lang. So hatte sie es in der Therapie gelernt.

Mühsam erhob sie sich wieder. Sie war einfach zu schwer. Das wusste sie selber, dazu brauchte sie keinen Arzt. Aber wie sollte sie abnehmen, wenn sie dauernd auf diesem Sessel saß und die Preise von Würsten und Nudeln eintippte?

Auch die Eingangshalle hatte sich inzwischen geleert. Erika begann die Einkaufswagen ineinanderzuschieben, bis sie in zwei schnurgeraden Kolonnen nebeneinanderstanden. Das war zwar nicht ihre Aufgabe. Aber sie hasste jede Unordnung.

Sie stieg die Treppe hoch ins Selbstbedienungsrestaurant, nahm ein Tablett samt Besteck und stellte sich an. Es gab heute Poulet mit Pommes frites, Rindsvoressen mit Kartoffelbrei oder, wie jeden Mittwoch im Winter, Blut- und Leberwurst mit Sauerkraut. Erika wählte Rindsvoressen. Antonio mit der weißen Haube auf dem Kopf stand an der Anrichte und zwinkerte ihr zu, als er mit der Kelle eine Mulde in den Brei drückte.

Sie fand einen leeren Tisch am Fenster, das auf ein Flachdach hinausging. In der warmen Jahreszeit standen dort draußen Tische und Sonnenschirme. Jetzt lag Schnee, der im grauen, diesigen Licht matt schimmerte.

Einige der Gäste kannte sie vom Sehen, obschon sie sich nie grüßten. Es waren alleinstehende Männer mit abgeschabten Hemdkragen und verblichenen Seidenkrawatten aus Luino am Lago Maggiore. Sie hatten sich wie jeden Mittag schön angezogen, als ob Sonntag wäre. Sie hockten da, jeder für sich allein, sorgfältig das Fleisch in kleine Stücke schneidend und lange kauend, mit dürren, faltigen Hälsen, die Blicke gesenkt. Daneben die Witfrauen zu zweit und zu dritt, sie redeten leise, sie wollten niemanden stören. Auch sie hatten sich herausgeputzt, so gut es ging, mit sauber gebügelten Blusen und allerlei altmodischen Hüten auf den Köpfen.

Erika war froh, für sich allein zu sitzen. Sie brauchte Ruhe zum Überlegen. Denn was am Morgen in der Früh passiert war, das hatte ihr Angst gemacht.

Männersache, dachte sie, was ist Männersache? Was meint dieser Kindskopf, dieser Idiot eigentlich? Glaubt er wirklich fähig zu sein, mit dem fremden Mann am Telefon allein fertig zu werden?

Das war ein Traumtänzer, Erdogan, ihr Erdogan, in der Schweiz gehörte er ihr. Im Grunde war er wie die andern Männer auch, die sie gekannt hatte. Der Unterschied war bloß, dass sie ihn liebte, warum, wusste sie nicht genau. Sie liebte ihn einfach, basta. Aber er war wie die andern auch nichts anderes als ein großes Kind, ein Bub. Kaum witterte er ein bisschen Geld, schon erwachte die Kämpfernatur in diesem sonst so sanften Mann. Ohne einen Moment zu zögern, setzte er alles aufs Spiel, seine Liebe, seine Haut, sein Leben, obschon jedem vernünftigen Menschen sofort klar war, dass er keine Chance hatte. Wenn er wenigstens bereit gewesen wäre, das Problem zu bereden, einen Schlachtplan zu entwerfen.

Wenn er die Diamanten schon ums Verrecken behalten wollte, hätte er sie wenigstens so verstecken können, dass sie bestimmt niemand fand. Der Sand auf dem Grund des Aquariums zum Beispiel hätte sich gut dafür geeignet. Aber nein, er klemmte sich seine Beute unter den Arm und fuhr damit durch die Gegend. Und wenn sie etwas einzuwenden wagte, wurde er stur wie ein Ziegenbock, der nicht in den Stall zurückwollte.

Dort drüben saßen sie, diese sturen, heruntergekommenen, alten, blöden Böcke, jeder allein, vereinsamt, verbraucht. Schau sie dir an, mein lieber Erdogan, wie weit sie es gebracht haben mit ihrem Kämpfertum. Nichts als alte Trottel siehst du, die noch immer den eleganten, starken Mann markieren. Und sie sind doch nichts anderes als ein Häufchen Elend.

Kurz nach ein Uhr, als sich das Restaurant bereits zur Hälfte geleert hatte, kam Nelly an den Tisch.

»Ich wollte nur schauen«, sagte sie, »wie es dir geht. Bist du wieder gesund?«

Erika zögerte. »Ich bin nicht krank gewesen. Ich habe Probleme.«

»Mit Erdogan?«

»Ja. Er hat in der Kanalisation Diamanten gefunden und will sie nicht zurückgeben, der Aff.«

»Diamanten in der Kanalisation, wer macht so etwas?«
Nelly führte die Kaffeetasse zum Mund, mit gespreiztem
kleinem Finger, sie war eine Dame. »Wer wirft Diamanten
weg?«

»Es hat sich einer am Telefon gemeldet. Er hat gesagt, sie
gehören ihm. Ein Ausländer.«

Nelly trank, mit gerunzelter Stirn, der Kaffee war zu
heiß. Ihre Gesichtszüge waren noch härter geworden, die
Achseln noch hagerer, die Brust noch flacher. Sie ist un-
glücklich, dachte Erika, sie ist zu viel allein.

»Ein Ausländer?«, fragte Nelly. »Ist es vielleicht ein
Gangster?«

Erika schaute hinaus auf den Schnee. Eine Amsel hockte
dort, ein schwarzer Vogel auf weißer Fläche. »Ich habe
keine Ahnung, was es für ein Mann ist. Aber ich bin sicher,
dass er weiß, dass Erdogan die Diamanten gefunden hat.
Und ich bin ebenso sicher, dass er sie zurückhaben will.«

»Was du nicht sagst.« Nellys Stimme zitterte vor Aufregung. »Das ist ja wie im Film. Ich an deiner Stelle würde
aufpassen, dass er nicht abhaut damit. Dann hast du ihn gesehen.«

»Ich passe schon auf. Ich will, dass er hierbleibt und dass
ihm nichts geschieht.«

»Du erlebst immer so verrückte Geschichten«, sagte
Nelly, »ich erlebe nichts. Ich hocke zu Hause und versaure
und bin froh, wenn du mich wieder einmal anrufst und
fragst, ob ich nicht für dich einspringen kann. Ehrlich, du
fehlst mir.«

Sie strich sich die Bluse zurecht, mit langen, schmalen,
traurigen Fingern, die Nägel violett lackiert.

»Wenn diese Geschichte vorüber ist, fahren wir zusammen nach Griechenland«, versprach Erika, »jetzt geht's nicht. Später. Es tut mir leid.«

Sie schauten auf die Schneefläche hinaus, auf die Häuserzeile jenseits des Hofs, auf den bedeckten Himmel darüber.

»Ich habe Zypern gebucht«, erzählte Nelly, »eine Woche Wanderferien im Trodos-Gebirge. Im Winter kann man dort Ski fahren. Aber allein ist es wohl nicht so lustig.«

Die Amsel war weg, fein gezeichnet waren die Spuren ihrer Krallen zu sehen.

»Übrigens«, fragte Erika, »kann ich einige Tage bei dir wohnen, wenn es brenzlig wird?«

Nelly nickte. »Jederzeit, solange du willst. Das weißt du.«

Peter Hunkeler saß in seinem Büro vor einem Blatt Papier und überlegte. Es war kurz nach 14 Uhr, sein Magen war voll, er hatte Mühe, sich zu konzentrieren. Er hatte im Restaurant Kunsthalle zu Mittag gegessen, das Tellermenü mit Kalbsvoressen, Nudeln und Salat. Er hatte sich mit Leuten unterhalten, die er seit Jahren kannte, mit zwei Werbern und einem pensionierten Arzt. Sie hatten über den hiesigen Fußballklub geredet, ob er wohl wieder in die höchste Spielklasse aufsteigen würde oder nicht. Denn schließlich war Basel die zweitgrößte Stadt der Schweiz, und es war eine Schande, dass sie in der obersten Spielklasse nicht vertreten war. Dieses Thema war ein Dauerbrenner an diesem

Mittagstisch. Besonders der eine Werber, der offenbar in frühen Jahren selber ein guter Fußballer gewesen war, pflegte sich bis zur Weißglut zu ereifern, als säße er am Jasstisch und sein Partner hätte ihm soeben mit dem Trumpfbauer das Nell abgestochen.

Hunkeler hatte nicht viel zum Gespräch beigetragen. Der FCB war ihm ziemlich egal. Er hatte zugehört, und dieses Zuhören hatte ihn beruhigt.

Jetzt griff er zum Kugelschreiber und schrieb auf:

1) Kayat hat Huber auf dem Badischen Bahnhof Diamanten übergeben wollen, wurde aber dabei gestört und spülte sie in die Toilette. Madörin schaut nach.

2) Der Empfänger der Diamanten ist unbekannt.

3) Kayat ist aus dem Hotel Drei Könige verschwunden. Schneeberger und Lüdi suchen ihn.

4) In die Garderobe der Kanalarbeiter ist eingebrochen worden. Es könnte Kayat gewesen sein, der die Diamanten suchte.

5) Es ist ohne weiteres möglich, dass Diamanten, die in die Toilette geschmissen wurden, von den Kanalarbeitern gefunden werden. Überzahn.

6) Ein Kanalarbeiter mit Namen Erdogan Civil hat zur fraglichen Zeit den Anschluss Badischer Bahnhof, der verstopft war, wieder aufgemacht. Es ist möglich, dass er dabei die Diamanten gefunden hat.

7) Bei einem Kanalarbeiter hat heute Morgen früh ein Mann angerufen und sich nach den Diamanten erkundigt. Es ist möglich, dass das Kayat gewesen ist, der die Namen in der Garderobe gesehen hat.

8) Hat Civil die Diamanten tatsächlich gefunden, so ist

es möglich, dass Kayat das früher oder später herausfindet. Vielleicht weiß er es schon. Wenn ja, ist Civil in Gefahr.

9) Es bleibt die Frage, für wen die Diamanten bestimmt gewesen sind. Ein Hinweis könnte Huber sein. Huber wohnt in einem Haus an der Gempenfluhstraße, das der Infex AG gehört. Er arbeitet für diese Firma. Die Infex AG gehört Dr. Zeugin.

10) Das ist eine ganz verrückte Geschichte.

11) Daraus folgt: Erdogan Civil beschatten, möglichst unauffällig, um einen möglichen Verfolger, zum Beispiel Kayat, nicht zu warnen. Haller soll das tun. Kayat suchen (Lüdi und Schneeberger). Dr. Zeugin befragen.

Hunkeler zündete sich eine Zigarette an. Er brauchte das einfach, er konnte so besser denken.

Die Tür ging auf, Madörin kam herein, stinksauer. Wortlos schlürfte er den Kaffee, den er mitgebracht hatte.

»Frisch geduscht?«, fragte Hunkeler.

Madörin versuchte zu grinsen, es gelang ihm nur halb. »Nächstes Mal gehst du dort hinunter, das schwöre ich.«

»Und? Hast du etwas gefunden?«

»Nein. Nur Scheiße und Ratten.« Er warf den leeren Pappbecher präzis in den Eimer.

»Bravo«, lobte Hunkeler. »Erzähl endlich.«

Madörin schloss die Augen und schien nachzudenken. »Wenn die Steine dort unten lagen, so hat sie längst der Türke geholt. Oder denkst du anders?«

Hunkeler zuckte mit den Achseln.

»Und dass ich dort hinuntermusste, war reine Schikane.«

»Blödsinn. Wie viele Zugänge gibt es?«

»Vom Bahnhof her gibt es keinen direkten Zugang zur Kanalisation. Hingegen gibt es draußen drei Dolenzugänge. Die lagen alle drei unter Schnee, unberührt. Vor uns war niemand dort unten.«

»Das habe ich auch nicht angenommen. Kayat ist ein Monsieur. Der macht sich seinen Anzug nicht schmutzig.«

»Und ich?« Madörin war jetzt richtig wütend. »Bin ich kein Monsieur?«

»Du bist Polizist.«

Madörin erhob sich, ging hinaus und warf die Tür zu.

Hunkeler drückte die Zigarette aus, nahm das Telefonbuch, suchte die Nummer der Infex AG heraus und stellte sie ein. Er war nervös. Lieber in die Scheißröhre hinuntersteigen, dachte er, als den Dr. Zeugin anrufen.

Eine Frauenstimme meldete sich, freundlich und aufgeräumt.

»Infex AG, bitte?«

»Kann ich Dr. Zeugin sprechen?«

»Wen darf ich melden?«, flötete die Frau.

»Hunkeler.« Er sagte es so freundlich wie möglich, aber es wurde doch eher ein Knurren als ein Flöten. »Kriminalkommissariat Basel.«

Einen Augenblick lang war es ruhig in der Leitung. Dann war die Stimme wieder da, ganz und gar nicht mehr freundlich. »Nur einen Moment bitte.«

Hunkeler trommelte mit der linken Hand auf den Tisch. Er konnte das gut, er hatte als Kind stundenlang auf Tische getrommelt, beidhändig mit den Fingerkuppen aufs Holz. Er liebte dieses Wirbeln, und es gab Hölzer, auf denen es recht gut klang.

»Ja, Zeugin«, meldete sich eine sonore Männerstimme, »Sie wünschen?«

Hunkelers Hand war wieder ruhig. »Ich möchte mit Ihnen reden, wenn Sie einen Augenblick Zeit für mich haben.«

»Um was handelt es sich?«

»Es handelt sich um Anton Huber. Er wohnt in einem Haus, das Ihnen gehört. Wir haben ihn vorgestern auf dem Badischen Bahnhof festgenommen, auf den Lohnhof gefahren und wieder laufenlassen.«

»Ich weiß«, sagte Dr. Zeugin kühl und sanft, »er hat es mir erzählt. Das war ein Blödsinn.«

»In welcher Beziehung steht er zu Ihnen?«

»Er ist angestellt bei mir, als Chauffeur. Er fährt die TIR-Lastwagen, vor allem nach Portugal. Ein sehr zuverlässiger Mitarbeiter. Genügt Ihnen diese Auskunft?«

Die Finger von Hunkelers Hand setzten sich wieder in Bewegung, gleichmäßig, leise und schnell, diskreter, intimer Trommelwirbel.

»Ich möchte gerne von Ihnen wissen, was er auf dem Badischen Bahnhof gemacht hat und in welcher Beziehung er zu Herrn Guy Kayat steht.«

»Guy Kayat?« Die Stimme verriet ein großes, reines Staunen. »Nie gehört. Wer ist das?«

»Das ist ein libanesischer Staatsangehöriger, der im begründeten Verdacht steht, als Kurier von Drogen und Drogenerlös zu arbeiten. Wir haben ihn schon lange in unserem Computer.«

»Und was hat das mit Anton Huber zu tun?«

»Es besteht der begründete Verdacht, dass dieser Kayat

Diamanten im Wert von weit über einer Million Franken nach Basel gebracht hat in der Absicht, sie Herrn Huber zu übergeben.«

Jetzt war ein tiefer Atemzug zu hören, dann ein zweiter, dann war wieder die Stimme da, beinhart. »Abenteuerlich. Sehr abenteuerlich, was Sie da erzählen. Und durch was ist dieser absonderliche Verdacht begründet, wenn man fragen darf?«

Hunkeler blieb ganz ruhig. »Wir haben einen Tipp bekommen.«

»Einen Tipp, so. Wenn man fragen darf: Von welcher Seite ist dieser Tipp gekommen?«

»Selbstverständlich dürfen Sie fragen, das ist doch klar«, sagte Hunkeler honigsüß, »aber leider darf ich es Ihnen nicht sagen. Das müssen Sie verstehen. Wir dürfen unsere Informanten nicht verraten. Nicht wahr?«

»Wie wahr, wie wahr«, sagte Dr. Zeugin. »Sie müssen selbstverständlich Ihre Kanäle offen halten.«

Pause. »Herr Huber hat vorgestern Nachmittag auf dem Badischen Bahnhof einen Geschäftsmann aus Ägypten abholen wollen. Wir importieren über ihn ägyptische Zigaretten. Völlig legal übrigens. Leider war es diesem Geschäftsfreund an jenem Abend unmöglich, nach Basel zu kommen. Er ist erst gestern eingetroffen. Er sitzt zufälligerweise hier in meinem Büro. Wollen Sie ihn sprechen?«

»Das ist nicht nötig«, sagte Hunkeler, »ich glaube Ihnen selbstverständlich.«

»Ich hoffe, das soll keine Anspielung sein?«

»Eine Anspielung auf was?«, fragte Hunkeler, harmlos wie eine Wiesenblume.

»Hören Sie mal, Sie kleiner Polizistenmann.« Dr. Zeugin kam zum Ende, er führte drei zu null, das Spiel war gelaufen. »Finden Sie nicht, Sie übertreiben ein bisschen? Ich sage Ihnen aus reiner Höflichkeit, wie es war. Mein Angestellter Herr Huber hatte den Auftrag, meinen ägyptischen Geschäftspartner abzuholen. Der traf nicht ein. Und da offenbar ein anderer sehr gut gekleideter Araber mit demselben Zug eintraf, ging Herr Huber zu diesem hin, um sich zu vergewissern, ob es nicht der erwartete Ägypter war. Er war es nicht. Es war eine simple Verwechslung. Das hätte Ihnen Herr Huber übrigens gerne selber erklärt, wenn Sie ihn anständig gefragt hätten. Nebenbei gesagt, ich finde es eine absolute Unverschämtheit, wenn Sie kleiner Polizistenmann auf Bahnhöfen unbescholtene Bürger überfallen und abführen. Und ich verspreche Ihnen, dass ich mich beschweren werde. Sie werden noch von mir hören. Und wenn Sie mich das nächste Mal sprechen wollen, so schicken Sie mir bitte eine Vorladung. Wenn Sie das zustande bringen.«

Päng, Ende der Durchsage. Der Hörer saß auf der Gabel. Und nach einer Weile war der beruhigende Summton zu hören.

Hunkeler brauchte einen Kaffee, unbedingt, etwas Warmes, Süßes, etwas mit Rasse, mit Kraft, etwas für die Lebensgeister, die schon halb am Erlöschen waren. Aber eben nur halb. Zur anderen Hälfte waren diese Lebensgeister am Aufblühen.

Er ging hinaus auf den Flur, drückte auf die drittoberste Taste des Automaten und schaute zu, wie Kaffee in den Pappbecher rann. Der Duft stieg ihm in die Nase, hoffnungsfroh. Das duftete wenigstens nach Kaffee, auch wenn es nach Spülwasser schmeckte.

Staatsanwalt Suter kam die Treppe herauf. »Was höre ich? Dieser Kayat ist verschwunden?«

»Stimmt.« Hunkeler trank einen Schluck. Es schmeckte tatsächlich nach Spülwasser.

»Ja gibt es denn das«, lamentierte Suter, »ist denn das die Möglichkeit? Bringt es die Basler Polizei nicht einmal fertig, einen Mann in einem Hotelzimmer eine Nacht lang zu beschatten?«

Hunkeler schaute ihn an, wortlos. Dann trank er den Becher aus und warf ihn in den Eimer.

»Sie sind verantwortlich, Herr Kommissär, merken Sie sich das endlich«, schrie Suter so laut, dass weiter vorn die Tür aufging und Madörin herausschaute.

Hunkeler drehte sich ab, ging in sein Büro, setzte sich vor den Zettel auf dem Tisch und schrieb:

12) Dr. Zeugin will wissen, woher wir den Tipp bekommen haben.

Guy Kayat lag angezogen auf seinem Bett im Hotel Rochat und schlief. Es war 14 Uhr 30, ein gewöhnlicher Mittwochnachmittag im Februar, der Himmel bedeckt, die Temperatur war gestiegen, und der Schnee begann langsam zu tauen.

Kayat lag ruhig, wie ein Baum. Er träumte von Zypern, von Nikosia, von der Altstadt. Er war dort heimisch, aber jetzt im Traum fand er sich plötzlich nicht mehr zurecht. Wo ein Durchgang gewesen war, war eine Mauer, und wo eine Mauer gewesen war, führte eine Treppe eine Gasse hinauf. Kayat stieg hoch, ziemlich schnell. Kein Mensch war zu sehen, es herrschte ein seltsames Dämmerlicht, und plötzlich wusste er, dass er verfolgt wurde. Er rannte, er hörte überlaut das Klopfen seiner Ledersohlen auf dem Pflaster. Er kam auf einen runden Platz, der von niederen Häusern umgeben war, ein Haus war ans andere gebaut, es gab keine Lücke. Die Häuser schienen unbewohnt zu sein. Sie schienen auf ihn zu warten, auf das Klopfen seiner Sohlen, auf seine Stimme, seinen Atem. Aber irgendwie wusste er, dass das eine Falle war. Wenn er eine Tür aufdrücken und eintreten würde, so würde sie hinter ihm ins Schloss fallen, und er war gefangen.

Kayat stand in der Mitte des Platzes, hilflos, atemlos. Er spürte die Verfolger auf der Treppe nahen, er hörte sie nicht, sie kamen lautlos über das Pflaster. Er ging auf eine Tür zu, drückte sie auf, sie gab ohne weiteres nach. Vor ihm lag ein dunkler Gang. Er hatte keine andere Wahl, er folgte diesem Gang und hörte nach wenigen Schritten die Tür hinter sich ins Schloss fallen. Da wachte er auf.

Er lag auf dem Rücken, er war angezogen, er hatte am helllichten Tag geträumt. Das Fenster stand einen Spaltweit offen. Von draußen war Orgelmusik zu hören.

Kayat erhob sich und schaute hinaus. Er sah auf eine Kirchenmauer mit gotischen Fenstern und steilem Dach, von dem Schnee gerutscht und auf die Straße gefallen war. In der Kirche spielte jemand Orgel, immer denselben Lauf mit wenigen Tönen, fünf hinauf, drei hinunter, mit einem kurzen Triller in der Mitte, der dem Orgelspieler offenbar zu schaffen machte.

Er fühlte sich fiebrig, aber das war normal. Er hatte das oft erlebt auf seinen Reisen, wenn er von der Wärme in die Kälte flog oder von der Kälte in die Wärme. Dann befiel ihn jeweils diese Müdigkeit, der sich seine Glieder hingeben wollten. Zudem hatte er in den beiden Nächten zuvor kaum geschlafen.

Die Diamanten. Diese verdammten Steine. Ihretwegen hatte er ein Abführmittel schlucken, mitten in einer kalten Schneenacht an einer Hausmauer hinunterklettern und in eine Garderobe einbrechen müssen. Und jetzt hatte er noch einen neuen Namen.

Er lebte auf der Flucht. Deshalb hatte er wohl auch diesen Höhlentraum gehabt mit der zufallenden Tür. Aber fliehen durfte er erst, wenn er die Diamanten gefunden und dem Auftraggeber übergeben hatte.

Er saß ganz schön in der Tinte.

Immerhin hatte er eine Spur, diesen Türken. Ihm würde er diesen Abend einen Besuch abstatten.

Der Orgelspieler griff jetzt voll in die Tasten und holte breite, dröhnende Akkorde aus den Pfeifen.

Kayat fühlte sich eingesperrt in diesem kleinen Zimmer. Er schlüpfte in die Schuhe und zog sich den Kamelhaarmantel über. Er lächelte höflich, als er unten den Schlüssel abgab.

Draußen zögerte er. Was wollte er eigentlich, was suchte er? Vor ihm, jenseits der Straße, lag ein Platz, bestanden mit Bäumen, ein lichter Wald. Krähen hockten dort oben, lautlos. Von einem Ast fiel Schnee und klatschte dumpf auf den Boden, der Ast schnellte hoch. Der Orgelspieler in der Kirche übte jetzt wieder Läufe, diesmal ohne sich zu wiederholen. Präzis hämmerte er die Töne in die Pfeifen, einen nach dem andern, wie eine Perlenkette.

Er ging zum Denkmal hinüber, das vor der Kirche stand, eine Büste auf einem Sockel, schneebedeckt. Der Mann hieß Johann Peter Hebel, wie zu lesen war. Den kannte er nicht.

Er ging neben der Kirche durch und kam in eine breite Gasse. Die alten Häuser standen da wie gewachsen. Schnee lappte über die Dachtraufen und drohte herunterzufallen.

Weiter vorn bog er links ins Imbergässlein ein, das steil hinunterführte. Einen Moment lang dachte er an den Traum. Merkwürdig, dort war er hinaufgestiegen, hier stieg er hinab.

Er nahm die Stufen langsam und vorsichtig. Sie waren mit Eis bedeckt, ein dumpfes, wässriges Eis zwar, nicht mehr durchsichtig und spröd, aber noch immer glitschig. Einige der Häuser schienen unbewohnt zu sein, die Läden waren geschlossen.

Die Gasse war menschenleer. Er hatte plötzlich Mühe mit den Stufen. Nicht dass er keine Kraft mehr gehabt hätte, sich auf den Beinen zu halten, er brauchte keine Kraft zum Hinabsteigen. Es war etwas anderes, etwas in seinen Knien, in seinem Rücken, in seinem Kopf. Er merkte, dass sein ganzer Körper sich versteifte und ihm der Schweiß ausbrach. Er blieb stehen, stützte sich mit beiden Händen gegen die Mauer und versuchte, den Kopf zu senken und den Nacken zu entspannen.

Er kannte das. Es war der Stress, der ihn gepackt hatte, der Trieb zur Flucht, dem er nicht nachgeben durfte, die Angst, die ihn starr machte. Er fing an zu würgen, von ganz tief unten kam dieses Gefühl und stieg unbezwingbar hoch.

Es schüttelte seinen Körper durch wie Schüttelfrost. Dann fing er an zu husten, er hustete, bis Tränen aus seinen Augen drangen, bis er sich erbrach. Es war kein richtiges Erbrechen, er konstatierte das trotz seiner Qual völlig kühl. Er hatte gar nichts im Bauch, was er hätte erbrechen können, er hatte noch nichts gegessen heute, er war gleich nach den Anrufen am Morgen früh in Tiefschlaf gesunken.

Dann hörte das Husten auf, als ob sich seine Energie erschöpft hätte. Kayat blieb noch einen Moment lang gegen die Mauer gestützt. Er bückte sich, griff sich eine Handvoll Schnee und drückte ihn auf sein Gesicht. Wasser rann ihm in den Mund, eiskalt.

Er ließ den Schnee zu Boden fallen, wischte sich mit dem Taschentuch das Gesicht trocken, kämmte sich. Erbärmlich, wie er hier in dieser Gasse stand, geschüttelt von Angst, den Bauch voller Panik. Und lächerlich war dieser Traum gewesen von der Treppe und vom Platz ohne Ausgang.

Er nahm eine Zigarette aus der Schachtel, zündete sie mit dem Feuerzeug an und nahm einen tiefen Zug. Er fühlte sich wieder völlig okay. Das war ein nervöser Anfall gewesen, sonst nichts, eine Hungerkrise vielleicht, er brauchte jetzt dringend etwas zu essen.

Er stieg die restlichen Stufen hinunter in die Schneidergasse. Links war eine Wirtschaft, ein Ventilator drehte verrauchte Luft heraus. Château Lapin stand über der Tür.

Kayat ging hinein und setzte sich an den langen Holztisch links. Das Lokal war halb voll. Ältere Frauen in dicken Strickjacken saßen in einer Ecke, wetterfeste Gesichter, offenbar Marktweiber. Vor sich hatten sie Gläser mit hellem

Kaffee stehn. Mehrere Trinker waren da, alte und junge, bärtige und glatzköpfige, ein paar hockten zusammen am Tisch neben der Theke. Keiner schaute auf, niemanden schien der fremde Mann zu stören. In der Mitte des Raumes stand ein Ölofen, man hörte die Flamme leise lodern.

Kayat fühlte sich gut hier. Als die Serviertochter, eine junge Frau mit kräftigen Oberarmen und hellen, schnellen Augen, an seinen Tisch kam, bestellte er Schwarztee mit Zitrone und etwas zu essen. Es gab Spaghetti mit Gehacktem, Rösti mit Rindsleber und Ochsenmaulsalat. Er entschied sich für Spaghetti.

Als er eine gute Stunde später ins Hotel Rochat zurückkam, saß in der Eingangshalle eine Dame in einem kurzen Mantel aus Leopardenimitation. Sie schaute ihm mit einem entzückenden Lächeln entgegen. »Herr Assad Harif?«

Sie erhob sich, langbeinig wie eine Gazelle. Er blickte kurz auf ihre Netzstrümpfe, was ihr zu gefallen schien.

»Ich habe eine wichtige Mitteilung für Sie. Darf ich Sie auf Ihr Zimmer begleiten?«

Kayat nickte, holte beim Concierge den Schlüssel, und gemeinsam stiegen sie hoch.

»Ich heiße Fränzi Fornerod«, sagte sie, als er die Zimmertür hinter sich geschlossen hatte.

»Freut mich. Nehmen Sie bitte Platz. Ich heiße ...«

»Ich weiß«, sagte sie, »Sie sind Monsieur Harif aus Syrien, nicht wahr?«

»Bitte sehr«, sagte er mit einer leichten Verbeugung.

Sie schaute sich um. Ihr Lächeln war verflogen, sie fühlte sich offenbar nicht wohl hier. »Eng ist es hier, anders als im Drei Könige. Nicht wahr?«

Er sagte nichts, zuckte mit den Achseln.

»Also.« Sie sprach jetzt plötzlich sachlich und kühl, ihr Charme war weg. »Ich soll Sie mitnehmen in meine Wohnung, sagt der Chef. Es seien einige Dinge geschehen, die einen weiteren Aufenthalt in einem Hotel unmöglich machen. Ich habe eine Zweizimmerwohnung an der Hegenheimerstraße. Eines der beiden Zimmer können Sie haben, bis Sie die Sache in Ordnung gebracht haben. Er wartet auf die Steine, lässt er ausrichten. Sie verstehen mich?«

Kayat nickte.

»Also. Wir sollen keine Zeit verlieren und gleich zu meiner Wohnung fahren, sagt der Chef. Ich habe unten schon über eine halbe Stunde gewartet. Also packen Sie Ihre Sachen ein, und kommen Sie mit.«

Kayat sagte kein Wort. Er nahm seine Tasche, öffnete die Tür, ließ sie vorgehen und schloss ab. Er schaute ihr zu, wie sie voraus durch den Gang ging, auf Stöckelschuhen, und ihre Hüften hatten plötzlich wieder einen zarten Schwung.

Erdogan Civil war wieder der Letzte unter der Dusche. Er wusste nicht, warum das immer so war. Er hatte einfach die langsameren Handbewegungen als seine Kollegen, er wusch sich gründlicher oder hatte das Wasser lieber, das über seinen Körper rann.

An diesem Abend aber war es Absicht. Er schrubbte sich seine Stirnglatze und sein schütteres Haar, als ob er eine monatealte Schmutzkruste hätte wegwaschen müssen, er spülte immer wieder nach und ließ das Wasser über sich rauschen. Zwischendurch schaute er in den Garderoben-raum hinüber, wo sich seine Kollegen anzogen und die bei-den Handwerker, die die Schlösser repariert hatten, ihr Werkzeug zusammenpackten. Die neuen Schlüssel lagen bereit auf der Bank.

Berger verließ den Raum als Letzter. »Schließ gut zu«, sagte er, »bis morgen früh.«

Erdogan wartete eine Weile, bis er sicher war, allein zu sein. Er rieb sich trocken, erst den Kopf, dann Schulter, Rücken und Bauch, zuletzt die Zehen. Die behandelte er besonders liebevoll, sie schienen ihm mit einem Mal schön zu sein. Er grinste kurz, vor Freude, vor Stolz, denn er hatte sie alle beschissen, die Kollegen, den Vorarbeiter, die Poli-zisten. Nur der Mann mit der fremden Stimme, der in der Früh angerufen hatte, war noch ein Gegner. Aber auch den würde er flachlegen, er war mindestens so schlau wie der.

Er zog sich an und schaute hinaus, ob die Luft rein war. Dann ging er schnell, aber ohne zu rennen, zu seinem Mo-ped, nahm den Plastiksack vom Gepäckträger und kehrte in die Garderobe zurück. Er legte den Plastiksack zuunterst in seinen Kasten unter einen Pullover und schloss ab. Er sperrte die Garderobentür zu, setzte sich aufs Moped und fuhr durch den Feierabendverkehr Richtung Dreirosen-brücke. Noch immer lag Schnee auf der Fahrbahn, aber er war nicht mehr gefroren.

Auf der Brücke war der übliche Stau. Erdogan zwängte sich rechts neben den Lastern durch. Einige Male wurde er abgedrängt in den Schneewalm hinein, kam aber nie zu Fall. Er fühlte sich stark auf seinem Moped, als wilder, küh-ner Reiter, als Memed der Falke.

Vor dem Café Ankara an der Colmarerstraße hielt er an. Während er langsam den Helm vom Kopf nahm, suchte er die Umgebung ab. Einige Autos glitten vorbei, alles war normal.

Im Schaufenster des Cafés hing eine Tafel, auf der Charterflüge in die Türkei ausgeschrieben waren. Der nächste Flug ging nach Izmir, und zwar in drei Tagen, am Samstagmorgen um 11 Uhr 30 ab Zürich-Kloten.

Erdogan betrat das Café und setzte sich an einen der Tische, an denen Karten gespielt wurde. Einige der Männer nickten ihm zu, dann konzentrierten sie sich wieder aufs Spiel. Er war zwar bekannt hier, aber kein Stammgast mehr, seit er Erika kennengelernt hatte. Er hatte eben Glück gehabt, und das war ihm zu gönnen.

Muhammed Ali brachte ihm den Tee. »Alles in Ordnung?«, fragte er.

»Alles in Ordnung.« Erdogan nickte. »Übrigens reise ich am Samstag in die Türkei. Gibt es noch einen Platz auf dem Flug nach Izmir?«

»Moment.« Muhammed Ali ging hinter die Theke und betätigte einen Computer. »Ist reserviert«, sagte er, als er an den Tisch zurückkam, »du kannst das Billett am Freitagabend hier abholen. Wie geht's Erika?«

»Alles in Ordnung mit Erika. Auch zu Hause in Selçuk alles in Ordnung.«

»Man sieht dich selten«, sagte Muhammed Ali, »du bist immer noch verliebt?«

Erdogan lächelte, nahm das Glas und schlürfte den heißen Tee.

»Okay«, sagte Muhammed Ali, »bis Freitagabend.«

Als Erdogan in die Lörracherstraße einbog, war es bereits kurz nach 19 Uhr. Die Straßen waren leer. Nichts Verdächtiges rührte sich, alles war ruhig. Er stellte das Moped auf den Parkplatz für Fahrräder, nahm den Helm ab und schaute sich noch einmal genau um.

Gleich nebenan saß ein Mann in einem Auto, der im Licht der Straßenlaterne einen Stadtplan studierte. Er schaute nicht auf, er sog bedächtig an seiner geschwungenen Pfeife und stieß hellen Rauch aus.

Erdogan erschrak. Er nahm allen Mut zusammen und schaute noch einmal genau hin. Das war ein biederer Mann dort im Auto, ein Schweizermann, ein gemütlicher Pfeifenraucher, der auf dem Stadtplan eine Adresse suchte. Das war bestimmt kein Verbrecher.

Schräg gegenüber stand der Amerikanerwagen. Der war zu auffällig, der verriet seinen Reichtum, der musste weg.

Entschlossen ging Erdogan hinüber und begann, den Schnee vom Verdeck zu schieben. Als er die Scheiben freigekratzt hatte, setzte er sich hinein und drehte den Anlasser. Nach einigem Stottern begann der Motor zu laufen. Er hatte schon den Vorwärtsgang eingelegt, als er im Rückspiegel ein Auto herangleiten sah. Es war ein roter Kleinwagen mit Vierradantrieb und Antenne. Erdogan wartete mit dem Blinker, um das fremde Auto vorbeizulassen. Da hielt es auf seiner Höhe an. Der Mann am Steuer lächelte und winkte kurz. Und trotz der Dunkelheit war zu erkennen, dass es ein fremdländischer Mann, ein Araber, war.

Erdogan saß starr. Gebannt schaute er zu, wie das fremde Auto wieder anfuhr und vorn auf der Kreuzung verschwand. Dann blickte er hinüber zum Pfeifenraucher. Der studierte immer noch den Stadtplan, dem war nichts aufgefallen.

Erdogan schaltete in den Leerlauf zurück und ließ den Motor weiterlaufen. Das war nicht auffällig, das war normal, der Motor musste erst warm werden.

Vielleicht war dieser Araber der Mann, der in der Frühe angerufen hatte. Vielleicht, aber sicher war das nicht. Wenn er es war, dann wusste dieser Mann jetzt, dass er einen Amerikanerwagen besaß, einen Luxusschlitten. Das hieß: Armer türkischer Gastarbeiter findet in der Scheißröhre Diamanten und kauft als Erstes ein protziges Luxusmodell.

Hätte er bloß auf Erika gehört und diesen Schlitten nie gekauft. Wie brachte er ihn jetzt los?

Er schaute noch einmal hinüber zum Pfeifenmann, ob der vielleicht etwas mitbekommen hatte. Er hatte nichts mitbekommen. Offenbar hatte er auf dem Plan die gesuchte Straße gefunden. Er startete den Motor, schaltete die Lichter ein und fuhr weg.

Erdogan beschloss, das Auto anderswo zu parken und eine Zeitlang nicht mehr anzurühren.

Er fuhr an und rollte langsam über die Kreuzung. Vom Auto des fremden Mannes war nichts mehr zu sehen, vom Auto des Pfeifenrauchers auch nicht. Vielleicht war das alles falscher Alarm gewesen. Vielleicht waren einfach seine Nerven überreizt, und er sah Gespenster.

Er stellte das Auto an der Hammerstraße an eine dunkle Stelle, weit von der nächsten Laterne entfernt. Er schloss alle Türen und auch den Kofferraum zu und ging zu Fuß nach Hause.

Peter Hunkeler stieg die Stufen zu Erikas Wohnung hoch. Er liebte diese alten Treppenhäuser, die nach Staub und Bodenwichse rochen. Die Eisengeländer mit den abgegriffenen Handläufen. Die Kugellampen aus Milchglas, in denen 40-Watt-Birnen brannten. Die Löcher in den gegipsten Wänden, die von den Ecken sperriger Möbelstücke herstammten.

Es wohnten hier fast ausschließlich Ausländer. Er hatte das in der Durchfahrt unten an den Briefkästen abgelesen. Gastarbeiter, die in der Schweiz die Dreckarbeit machten und froh waren, billig unterzukommen. Dass Frau Waldis hier wohnte, war eigentlich erstaunlich. Er hätte sich eine Kassiererin eher in einer Einzimmerwohnung eines Neubaus vorgestellt, mit Lift und kleinem Balkon. Blödsinn, dachte er, immer diese stupiden Vorurteile.

Er wischte sich am Bastteppich, der vor Erikas Wohnungstür lag, die Schuhe sauber, mehr aus Verlegenheit denn aus Notwendigkeit. Etwas kratzte am Boden, er achtete nicht darauf und klingelte. Die Tür ging auf, und er ging hinein.

Frau Waldis war eine ziemlich dicke Frau mit langem, dunkelblondem Haar. Sie musterte ihn misstrauisch. Sie hatte Angst, das sah Hunkeler genau. Und ebenso genau sah er, wie gut sie diese Angst versteckte.

Er zeigte seinen Ausweis. Sie bat ihn, sich zu setzen. Erdogan sei nicht da, werde aber bestimmt bald kommen.

Auf dem niederen Tisch stand ein Teekrug. Ein Brot lag da, der Rest einer Mettwurst, Aufschnitt, Schachtelkäse, eine aufgeschnittene Zwiebel.

Sie sei am Essen, sagte sie, ob er mithalten wolle?

Danke nein. Aber gegen einen Schluck Tee habe er nichts.

Sie holte in der Küche eine Tasse und schenkte ein. Es war Rauchtee von der besseren Sorte. Dann schaute sie ihn an, unverwandt, ohne ein Wort zu sagen.

Hunkeler legte die Karte mit seinen Telefonnummern auf den Tisch.

»Hier«, sagte er, »das ist meine Büronummer, da bin ich fast immer erreichbar in der nächsten Zeit. Das ist die Nummer meiner Wohnung, und das hier ist die Nummer meines Autotelefons. Unter einer dieser drei Nummern bin ich mit Sicherheit erreichbar, vierundzwanzig Stunden am Tag.«

Erika kaute langsam und gründlich. Das Essen schien ihr kein besonderes Vergnügen zu machen. Sie überlegte. »Warum sollte ich Sie anrufen?«

»Wenn Ihr Freund diese Diamanten gefunden hat, und davon gehen wir aus, so ist er in Gefahr. Wir wissen, dass ein Mann hinter diesen Steinen her ist, ein Profi, und folglich ist er auch hinter Herrn Civil her. Dieser Mann arbeitet im Drogenhandel, und im Drogenhandel gibt es keinen Pardon. Früher oder später wird er herausfinden, dass Herr Civil die Diamanten hat, wenn er sie tatsächlich hat. Aber wie gesagt, wir sind uns fast sicher. Wenn er es weiß, wird er Herrn Civil zwingen, die Steine herauszurücken, und wenn sich Herr Civil weigert, wird er Gewalt anwenden. Das ist der letzte Moment, in dem Sie mich anrufen können. Vielleicht können wir dann noch eingreifen. Viel besser wäre es indessen, wenn Sie uns schon jetzt die Wahrheit sagen würden. Das wäre überhaupt die beste Lösung.«

»Die beste Lösung.« Sie biss ein halbes Stück Schachtelkäse weg und mampfte ausgiebig. »Wer weiß, was das Beste ist? Wollen Sie noch Tee haben?«

Hunkeler nickte, und sie schenkte nach.

»Ich weiß nichts von Diamanten«, sagte sie und schaute ihm geradeheraus in die Augen. Wenn die lügt, dachte er, so lügt sie gut.

»Ist Ihnen an Ihrem Freund in den letzten Tagen nichts Außergewöhnliches aufgefallen«, fragte er, »irgendeine Nervosität oder so?«

»Nein.« Wieder dieser klare, reine Blick.

»Wie war das mit dem Zahnweh gestern? Ist er zu einem Zahnarzt gegangen?«

»Nein. Das Zahnweh hat sich von allein verzogen.«

»Ach, da hat er aber Glück gehabt.« Er nahm die Tasse hoch und trank. Es war wirklich ein speziell guter Rauch-tee. »Welcher Zahn war es denn?«

»Hinten oben links«, sagte sie, »ein Stockzahn. Er hat überhaupt schlechte Zähne. Er müsste sie längst flicken las-sen. Aber das Geld reut ihn. In der Türkei lebt eine ganze Familie von seinem Geld. Eine Großfamilie mit Onkeln und Tanten und Großtanten. Die leben von dem Betrag, den hier in der Schweiz ein Stiftzahn kostet, ein ganzes Jahr lang. Er hat gesagt, ohne Zahn kann man leben, aber ohne Brot nicht.«

Hunkeler wusste, es hatte keinen Wert weiterzubohren. Die Dame wollte nicht, basta.

»Wo wohnt er in der Türkei?«, fragte er, um das Thema zu wechseln.

»Selçuk. Das liegt bei Izmir.«

»Ich weiß«, sagte Hunkeler, »in der Nähe von Ephesus.

Ich war einmal ein paar Tage dort, am Strand draußen in einem neuen Bungalow-Hotel.«

»Was Sie nicht sagen.« Sie schaute ihn erstaunt an, sie schien plötzlich neugierig zu sein.

»Es gibt Flamingos dort und jede Menge Schildkröten«, erzählte er, »ich habe vier Arten gezählt. Und Störche. Am Abend fliegen sie zu ihren Nestern, die sie auf dem römischen Viadukt mitten in Selçuk gebaut haben. Ein Paradies. Es geht in den nächsten Jahren kaputt. Sie haben einen Damm gebaut mitten durch die Sümpfe hinaus ans Meer. Dort draußen am Strand brennen bereits Straßenlaternen, obschon es noch keine Straße gibt. Aber Sie sind ja sicher auch schon hingefahren.«

Sie hatte gespannt zugehört. »Nein«, sagte sie, und ihr Gesicht war plötzlich müde. Sie nahm ihren Teller, trug ihn in die Küche, kam zurück mit einem Teewärmer und stülpte ihn über den Teekrug. »Sie haben doch nichts dagegen«, sagte sie, »wenn ich mir die Tagesschau ansehe?«

Hunkeler verneinte. Sie schaltete den Fernseher an, genau zur richtigen Zeit. Die Sprecherin am Bildschirm nannte die Themen: Soll die Schweiz dem EWR beitreten? Soll der Staat an die Schwerstsüchtigen Heroin abgeben? Krieg in Jugoslawien. Und das Wetter: Eine Warmluftfront ist im Anzug.

Hunkeler saß im niederen Fauteuil und hörte mit halbem Ohr die Meldungen. Es war alles gesagt, aber er wollte noch eine halbe Stunde auf Erdogan warten.

Er saß gerne hier. Die Frau war ihm angenehm. Sie strahlte eine Ruhe aus, die ihn besänftigte. Merkwürdigerweise verspürte er nicht die geringste Lust auf eine Zigarette.

Er schaute zum Aquarium auf dem Buffet hinüber, zum Goldfisch darin, der reglos vor einer dunklen Wasserpflanze stand. Aus einem Röhrchen perlte Sauerstoff nach oben, ein Geräusch, das man kaum wahrnahm, so gleichmäßig plätscherte es. Auf dem Grund lag ungefähr fünf Zentimeter hoch schwarzer Sand, fein gemahlen wie Kaffeepulver, und in diesem Pulver hätte man eigentlich einmal nachschauen können, ob dort nicht etwas Glitzerndes, Strahlendes versteckt lag.

Erdogan kam kurz vor acht. Er erschrak sichtlich, als er Hunkeler sah, aber er hatte sich schnell wieder gefasst. Er sei noch ein Bier trinken gegangen, irgendwo in einer Beiz, er habe Durst gehabt, und wenn er Durst habe, pflege er etwas zu trinken.

Hunkeler hatte sich erhoben und schaute zu, wie der kleine Mann den Mantel auszog und aufhängte, wie er die leere Bierflasche aus der Tasche nahm und auf den Tisch stellte, wie er sich setzte und Tee einschenkte. Er tat das ruhig und selbstverständlich. Und ebenso ruhig und selbstverständlich schnitt Frau Waldis ihrem Mann zwei Stück Brot ab, bestrich sie mit Butter, belegte das eine mit Aufschnitt, das andere mit Schachtelkäse und schob sie ihm hin. Er aß, langsam kauend, dann schluckte er und wartete.

Hunkeler stand immer noch. Es war klar, dass er störte. Er zeigte auf seine Karte auf dem Tisch und sagte: »Wenn Sie es sich anders überlegen, so rufen Sie an. Möglichst bald. Denken Sie bitte daran, dass die Polizei dazu da ist, die Leute zu beschützen. Wir sind in der Lage, das jederzeit zu tun. Glauben Sie nicht, dass Sie mit diesen Verbrechern allein fertig werden. Bitte vertrauen Sie mir.«

Er kam sich blöd vor bei diesen Worten, aber sie waren ehrlich. Er fühlte sich als ein Freund und ein Helfer dieser beiden Menschen.

»Sie reden dummes Zeug«, sagte der kleine Mann, »ich verstehe kein Wort.«

»Ich bin vor eineinhalb Jahren in Selçuk gewesen«, sagte Hunkeler, und er wusste nicht, warum er das sagte, vielleicht wollte er einfach Zeit gewinnen, »das war im September, und das Meer war noch warm. Wir wohnten draußen am Strand, und jeden Nachmittag fuhren wir nach Selçuk hinein. Einmal hat uns ein Gemeinschaftstaxi mitgenommen. Das kam aus einem der Dörfer am Rande des Sumpfes, und es war vollgestopft mit Menschen, jungen und alten. Trotzdem nahmen sie uns mit. Es war eine Stimmung in diesem Auto, die vergesse ich nie. Sie war feierlich, fast heilig, wenn Sie verstehen, was ich meine. Ich versuche es Ihnen zu erklären. Obschon es bloß ein Ausflug in die nächste Kreisstadt war, war es für diese Menschen eine Reise auf einen andern Kontinent. Ihre Stimmung, die Art, wie sie aus dem Auto schauten, das über den Damm mitten durch den Sumpf fuhr, war andächtig. Andacht, jawohl, das ist das richtige Wort. Verstehen Sie mich?«

»Das Auto war ein Dolmus«, sagte der kleine Mann, »das ist dort üblich.«

»Sie verstehen mich nicht«, sagte Hunkeler, »ich will es Ihnen anders erklären. Wir sind mit einem Mietauto in die Hügel hineingefahren und kamen an einen See. An diesem See stand ein einziges Haus, es war das Haus des Fischers. Am Strand lag ein Boot. Wir haben angehalten und sind zum Wasser hinuntergegangen. Das war voll Leben. Fische,

146

Frösche, Krebse, Molche, und dann die Vögel: Störche, Reiher, Enten. Das war eine völlig intakte Natur, wie zu Salomons Zeiten. Eine Schönheit, der ich kaum gewachsen war. Unweit dieses Sees war ein Dorf, und auf jedem Dach war ein Storchennest. Wir fuhren mitten auf den Dorfplatz und wurden sofort umringt von lachenden, sich freuenden Männern. Sie wollten, dass wir ausstiegen, uns von ihnen einladen ließen, mindestens für eine Nacht. Ich saß am Steuer, und ich habe sofort gewendet. Ich bin aus diesem Dorf hinaus geflüchtet. Das war eine Flucht vor der Schönheit. Verstehen Sie mich jetzt?«

Der kleine Mann hatte zugehört. Er aß immer noch nicht weiter, er schien nachzudenken, aber er sagte nichts.

»Diese ganze heilige Welt«, fuhr Hunkeler weiter, »der Sumpf mit den Flamingos, der See mit den Störchen, das Dorf mit den Männern, die einen Fremdling wie einen König aufnehmen und bewirten wollen, das alles geht kaputt in wenigen Jahren. Verstehen Sie?«

»Ja«, sagte der kleine Mann, »ich verstehe Sie. Aber Menschen sind wichtiger als Schildkröten und Flamingos. Hotels bringen Arbeit. Ein Straßendamm mitten durch den Sumpf wird von Männern gebaut, die damit Geld verdienen. Oder sollen sie und ihre Familien verhungern, nur weil Sie hin und wieder gern einen Storch am Himmel sehen?«

»Nein, das sollen sie nicht«, sagte Hunkeler.

Er schaute zu, wie Civil eines der Brote nahm, hineinbiss und kaute.

»Diamanten sind eine wunderbare Sache«, sagte er, »und ich verstehe gut, dass jemand, der eine Handvoll davon findet, sie nicht mehr hergeben will.«

»Jetzt hören Sie endlich mit diesen Diamanten auf. Ich habe keine.«

»Entschuldigen Sie bitte die Störung«, sagte Hunkeler, »ich wünsche noch einen schönen Abend. Und viel Glück.«

Er ging hinaus.

Peter Hunkeler saß im Auto und startete den Motor. Er war nervös, er gefiel sich gar nicht. Warum hatte er diese lange Rede gehalten über Störche und Frösche, über Schönheit und heilige Welt, was hatte er damit sagen wollen? Und dann dieser Blödsinn über Umweltzerstörung in der Türkei, was ging ihn das an? Diese verlogene Moral, die andern Leuten verbieten wollte, das zu tun, was hierzulande schon längst geschehen war. Klebte nicht auf jedem schweizerischen Kirchendach ein leeres Storchennest, in dem noch vor wenigen Jahrzehnten gebrütet worden war? Und was war mit dem Altachenbach, an dem er aufgewachsen war? Wo waren die Wasserlilien hingekommen, die Egel und Forellen? Die waren weg, verschwunden.

Es war die übliche helvetische Schulmeisterei gewesen, die arrogante Besserwisserei, die ihn zu dieser Rede getrieben hatte. Er hatte dem Mann aus der Türkei seine Sympathien kundtun wollen, ihm erklären, dass er ihn liebenswert fand, dass er seine Heimat ein bisschen kannte, die Schönheit dieses Landes, die unglaubliche Gastfreundschaft. Er hatte mit dieser Sympathieerklärung um Vertrauen werben wollen, und natürlich war er abgeblitzt.

Der Mann aus Selçuk war ja nicht zu seinem Vergnügen

hier, weil er Basel zum Beispiel eine schöne Humanisten-stadt fand. Er kroch nicht acht Stunden pro Tag in der Kanalisation herum, weil er den Abwassergeruch besonders mochte. Er tat es, weil er Geld verdienen wollte. Ein entschlossener Mann, dieser Civil. Er hatte klare Ansichten, er wusste, was er wollte. Wenn er die Diamanten tatsächlich gefunden hatte, so würde er sie bis zum Letzten verteidigen.

Und Frau Waldis, warum hatte die nicht geredet? Sie hatte nicht geredet, weil sie Angst hatte. Sie hatte nicht nur Angst vor fremden Besuchern, die in ihre Wohnung eindrangen, sie fürchtete vor allem, ihren Erdogan zu verlieren. Hunkeler hatte genau gesehen, wie neugierig sie seiner Schilderung von Selçuk gelauscht und wie müde sie plötzlich ausgesehen hatte, als er sie gefragt hatte, ob sie auch schon hingefahren sei.

Sie wollte nicht, dass Erdogan in die Türkei verschwinden und nicht mehr wiederkommen würde.

Aber waren die Diamanten nicht ein guter Grund für Civil, als reicher Mann endgültig in die Türkei zurückzukehren? Und wenn sie das verhindern wollte, hätte sie dann nicht reden müssen? Sie hatte nicht geredet, weil das Verrat gewesen wäre. Und verraten wollte und konnte sie ihre Liebe nicht.

Oder war das alles falsch? Wusste Civil tatsächlich nichts von Diamanten? Die Geschichte mit dem Zahnweh jedenfalls schien wahr zu sein.

Wo steckte überhaupt Haller? Der hatte doch die Aufgabe, den Türken zu überwachen. Machte er vielleicht wieder einmal Pause?

Hunkeler stellte den Motor ab und tippte Hallers Nummer ins Telefon. Schon nach dem ersten Piepston kam Antwort.

»Wo steckst du denn?«, fragte Hunkeler.

»Er hat mich gesehen«, meldete Haller, »und ich bin unauffällig verduftet. Jetzt stehe ich hundert Meter Richtung Rhein. Siehst du die Tankstelle?«

»Ja.«

»Gleich dahinter bin ich. Ich habe die Lage im Griff. Übrigens: Der Türke hat einen alten Amischlitten, ein sagenhaftes Modell, richtig heavy. Weiß mit rotem Verdeck.« Man hörte, wie er an der Pfeife sog und Rauch ausstieß.

»Schau an«, sagte Hunkeler, »was für eine Überraschung. Also, bleib dran.«

Er legte auf, startete den Motor und fuhr an. Einen Amischlitten hatte Civil also. Und wann hatte er sich den gekauft? Vielleicht gestern, als er wegen Zahnwehs hinten oben links nicht zur Arbeit erschienen war?

Hunkeler bog in die Rheingasse ein und hielt im Parkverbot gleich hinter dem Taxistand an. Dem Taxifahrer, der ausstieg und ihn wegschicken wollte, hielt er seinen Ausweis unter die Nase. Der Mann salutierte wie im Militär.

Es war noch nicht viel los auf der Gasse, es war zu früh. Oder vielleicht hatten die Sumpfbrüder und Sumpfschwestern für einmal beschlossen, wegen des vielen Schnees zu Hause zu bleiben und hinter dem eigenen Ofen eine Flasche zu höhlen.

Nur die Drogenszene war da. Rechts in der Passage, die zum Rhein führte, standen sie, die Junkies und Dealer. Einer saß am Boden, die Spritze im Arm, tief vornübergebeugt, ein Bild der äußersten Konzentration. Neben ihm hockten andere, rauchend. Jemand ließ ein Tonbandgerät laufen.

Zwanzig Meter weiter vorn auf der linken Straßenseite stand, halb von einem Baugerüst verdeckt, Detektiv-Wachtmeister Madörin, ein Funkgerät in der Hand. Er schaute gebannt auf die andere Straßenseite hinüber, er beobachtete. Dort gegenüber auf dem Trottoir, gleich neben dem Eingang zum Swiss-Chalet, einem volkstümlichen Dancing mit Ländlermusik, saß eine junge Frau im Schnee, die Beine gestreckt, den Rücken an die Hausmauer gelehnt. Ein junger Mann kniete neben ihr, er schüttelte sie, er schlug ihr mit der Hand ins Gesicht, ließ dann ab von ihr, erhob sich und schaute hilfesuchend zu den wartenden Taxis.

Hunkeler stieg aus. Dieses Bild der im Schnee sitzenden jungen Frau mit dem langen schwarzen Haar, er kannte es, es durfte nicht sein. Und doch hatte er für einen kurzen Moment die Gewissheit, dass an jener Mauer seine Tochter Isabelle saß.

Er ging hin, nicht schnell, sondern langsam, lauernd. Er hätte sich hinstürzen und seine Tochter hochreißen, umarmen wollen, aber das Entsetzen hielt ihn zurück. Er sah, dass der junge Mann einen Augenblick lang auf dem Sprung war zu fliehen, dann aber blieb. Hunkeler beugte sich nieder zu der Frau, deren Gesicht vom Haar verdeckt war. Er schob vorsichtig dieses Haar beiseite, er sah in ein fremdes Frauengesicht.

Es war nicht Isabelle.

Der Atem der Frau ging langsam, viel zu langsam. Ihr

Gesicht hatte im Schein des Straßenlichts einen bläulichen Schimmer.

»Überdosis«, sagte der junge Mann, »sie ist meine Freundin. Können Sie helfen?«

Hunkeler nickte. Er ging über die Straße zu Madörin, riss ihm das Telefon aus der Hand und rief die Sanität an. Dann trat er wieder zu der Frau, die die Augen noch immer geschlossen hatte. »Umarmen Sie sie«, sagte er zu ihrem Freund, »wärmen Sie sie. Schlagen Sie sie ins Gesicht, aber nicht zu hart.«

Er zog seinen Mantel aus und half, sie notdürftig hineinzuwickeln. Ihr rotes, gestricktes Halstuch hatte sich gelöst und lag im Schnee. Er hob es auf, rollte es zusammen und schaute zu, wie der junge Mann seine Freundin umarmte und mit dem Handrücken hilflos ins Gesicht schlug.

Madörin kam herüber. »Ich habe gedacht, die schläft. Ist es schlimm?«

»Wenn sie stirbt«, sagte Hunkeler, »bist du wegen Unterlassung von Nothilfe dran. Das schwöre ich.«

Madörin verzog den Mund und spuckte in den Schnee. »Die stirbt nicht, die sind zäh.« Es ging ihm nicht gut. Er stand da wie ein ungeliebter Onkel. »Es ist nicht meine Schuld, wenn sich jemand vollpumpt.«

Der Sanitätswagen war in fünf Minuten da. Als die Frau eingepackt war, sagte Hunkeler zum jungen Mann: »Fahren Sie mit. Bleiben Sie bei ihr. Und passen Sie um Gottes willen besser auf.«

Hunkeler fuhr über die Wettsteinbrücke nach Großbasel hinüber. Er musste jetzt mit jemandem reden, mit Bekannten, mit Freunden. Er brauchte normale menschliche Gesellschaft.

Wenn der Stoff vom Staat kontrolliert abgegeben würde, dachte er, würden diese Unglücksfälle nicht passieren. Aber das war offenbar egal. Eine Heroinleiche mehr oder weniger störte das öffentliche Gerechtigkeitsempfinden nicht, die waren ja selber schuld.

Wenn aber diese junge Frau dort im Schnee seine eigene Tochter gewesen wäre, was hätte Hunkeler dann gemacht? Hätte er seinen üblichen Tramp vom Bett ins Büro, vom Büro an den Mittagstisch, vom Mittagstisch ins Büro und vom Büro in die Beiz zum abendlichen Bier weitergehen können, als ob nichts geschehen wäre? Hätte er im Elsass seinen Eisenofen weiterhin mit bedächtigem Wohlbehagen einfeuern und kurz vor Mitternacht zu Hedwig hineinkriechen können?

Nein, das wäre nicht mehr möglich gewesen. Er wäre von diesem Unglücksbild bis an sein Lebensende gezeichnet gewesen.

Hunkeler war es einen Augenblick lang ums Beten, als er über die Brücke fuhr, einen kurzen Vers hätte er sprechen wollen mit gefalteten Händen, ungefähr wie »Für Speis und Trank Gott sei Dank«, nur mit anderem Inhalt. Und er sagte, ohne dass er wollte, laut und deutlich: »Lieber Gott, hilf meiner Tochter Isabelle.«

Ein starker Wind blies ihm entgegen, packte sein Auto, trieb es in die Straßenmitte. Das war eine Böe, eine Westböe. Der Wind hatte gedreht, er kam jetzt vom Atlantik her über die Ebenen Frankreichs und brachte Wärme und Nässe mit.

Hunkeler parkte vor der Kunsthalle und ging hinein. Das Lokal war wie jeden Abend voll. Rechts die weißgedeckten Tische, wo à la carte gegessen wurde. Gestandene Ehepaare saßen hier mit einer Flasche Wein vor sich, leise, sparsame Worte wechselnd, die Damen dezent gekleidet, hoffend auf ein Abenteuer, das nie kam. Einige schwule Paare waren da, kurzgeschoren, ohne Augen für die Umgebung, verliebt sich anhimmelnd. Dann die weiblichen Paare, von denen Hunkeler nie wusste, ob es Lesben waren, die eine ausgiebig erzählend, die andere zuhörend. In der Mitte des Saales stand auf einem Tisch ein anderthalb Meter hoher Blumenstrauß. Hinten an der Wand hing ein Bild mit Bocciaspielern, gemalt von Paul Camenisch, einem schwulen Kommunisten, der 1970 als alter Mann gestorben war, gehasst und verfemt von ebendieser bürgerlichen Schickeria, die seine Werke jetzt schön fand.

Unter diesem Bild waren zwei Tische aneinandergeschoben. Eine illustre Männergesellschaft saß dort. Hunkeler kannte sie alle. Zwei Direktoren aus der Chemie; ein ehemaliger Werber, der seine Agentur verkauft hatte und nicht recht wusste, was anfangen mit dem vielen Geld; ein Architekt aus altem Stadtadel, ehemals Nationalrat und immer noch aktiver Fastnächtler, ein hervorragender Tuschzeichner in der Freizeit. Dann der Polizeikommandant (Hunkelers Vorgesetzter), ein kulturell vielseitig interessierter und begabter Bürger auch er, der nicht nur für das Blech der Basler Polizeimusik etwas übrighatte, sondern auch für den zarten Strich auf der Violine.

Es war das Komitee »Kultur für Basel«, welches die Kulturwoche »Die Welt im Gesang« sponserte und organisierte. Und es saßen auch da die Herren Suter, Staatsanwalt, und Dr. Zeugin, ehemals Treuhänder, jetzt Importeur.

Hunkeler hatte bloß einen kurzen Blick auf jene Tischrunde geworfen, dann hatte er sich sogleich nach links verdrückt, in den andern Teil der Kunsthalle, den man allgemein Schlauch nannte. Er wollte jetzt von diesen Herren nicht gesehen werden, er hatte noch immer eine Wut. Dort saßen sie, mit bester Absicht, und redeten über Hirtenchöre im Kaukasus, über den Herdenruf der Tuareg im Hoggar und über jodelnde Pygmäen. Und währenddessen ging in den Gassen Basels die Jugend vor die Hunde, weil es ihr an Treffpunkten fehlte, an Räumlichkeiten, an Geld. Denn sie, die bestandenen alten Herren, bestimmten, was Kultur war.

Im Schlauch saßen fast nur junge Leute. Harmloses, lebhaftes Gemüse, schön anzuschauen, dicht gedrängt, Hüfte an Hüfte. Wenigstens das, dachte Hunkeler, in diesem Lokal sitzen sie alle unter einem Dach, Mächtige und Ohnmächtige, auch wenn sie nicht miteinander reden.

Er durchquerte den Raum und nahm Platz am Tisch hinten rechts, an dem Männer seines Alters saßen. Die beiden Werber vom Mittag waren da, der Pfarrer der nahen Kirche, ein scheuer, melancholischer Trauervogel. Weiter ein Kunstmaler von einigem Erfolg, im Mund faule Zähne, in den Augen Neugier und Witz. Schließlich der Wirt, ein eleganter Mann von lombardischer Grandezza, dessen Großvater als Muratore eingewandert war.

An diesem Tisch fühlte sich Hunkeler meistens wohl. Es wurde getrunken, aber in Maßen, es wurden Sprüche geklopft, es wurde augenzwinkernd geredet über Probleme, die alle betrafen. Und fast immer herrschte Eintracht an diesem Tisch.

An diesem Abend klappte es nicht, Hunkeler war zu geladen.

»Ich habe soeben in der Rheingasse eine junge Frau im Schnee liegen sehen«, erzählte er, »bereits mit dem Tod im Gesicht. Keiner hat den Finger gerührt. Ist das eigentlich in dieser Stadt schon normal?«

Er nahm einen Schluck vom Bier, das ihm der Kellner hingestellt hatte. Es schmeckte ihm nicht. »Einen Augenblick lang habe ich gedacht, es sei meine Tochter.«

»Hör auf zu jammern«, sagte der Kunstmaler, »oder geh zu den Herren dort drüben. Die sind verantwortlich.«

»Ich habe einen Bekannten«, sagte der ältere der beiden Werber, »der hat ein Lungenemphysem. Das kommt vom Rauchen. Trotzdem raucht er weiter. Wie soll denn eine Fixerin aufhören können, wenn nicht einmal ein harmloser Raucher aufhören kann?«

Hunkeler zündete sich eine an, hustete und sagte: »Wir sind alte Männer. Aber die sind jung. Das sind unsere Kinder, und ich ertrage es nicht, wenn ich zuschauen muss, wie sie sich zugrunde richten.«

»Jetzt fang nicht noch mit den Walfischen und den Indianern an«, sagte der Kunstmaler.

»Doch«, sagte Hunkeler, »mit denen fange ich an, und mit unseren Kindern höre ich auf.«

»Lass endlich diesen Kitsch«, sagte der andere Werber, »schau lieber ein bisschen besser zu dir, dass du nicht zugrunde gehst.«

Er winkte dem Kellner und bestellte Jasskarten, Tafel und Jassteppich. »Spielst du auch mit?«

»Nein«, sagte Hunkeler.

Er schaute zu, wie die Karten gebracht wurden, wie sie verteilt wurden, wie die Männer zu spielen begannen. Sie taten es mit höchster Konzentration, gebannt die Karten aufnehmend, sie prüfend und in der einen Hand ordnend. Keinem war anzusehen, was er dachte.

Er jasste normalerweise mit, wenn er gefragt wurde, er zählte das Jassen zu den schönen alten Traditionen. Aber an diesem Abend wollte er nicht.

»Ihr seid nichts anderes als bequeme, vertrottelte, völlig angepasste alte Arschlöcher«, sagte er. Er erhob sich, er sah, wie sie ihn verständnislos anschauten, wie einen Kranken.

»Du spinnst«, sagte der Wirt, »aber es macht nichts.«

Hunkeler ging hinaus, setzte sich in sein Auto, an dessen Frontscheibe ein Bußenzettel klebte, und fuhr los. Er hasste diese Stadt, deren Polizist er war. Er hasste diese Männer, die seine Freunde waren, er hasste sich selbst.

Dieser Dr. Zeugin, der Import und Export betrieb auf allerlei hellen und dunklen Kanälen, dieser Ehrenmann, der unbedingt wissen wollte, woher das Kriminalkommissariat Basel den Tipp über die schmutzigen Diamanten erhalten hatte, dieser bedeutende, wertvolle Bürger saß am ehrenwerten Stammtisch mit den anderen Potentaten dieser Stadt und bestimmte, was Kultur war. Und warum saß er dort? Weil er Geld hatte.

In Hunkeler erwachte der alte Revoluzzer. Nicht die Jugend, die eine Zukunft vor sich liegen sieht, das unbekannte, unformulierte süße Leben, gebietet über das Geld, sondern die alten, abgestandenen Knacker mit ihren Schmerbäuchen, die das Leben hinter sich und nur noch den Tod vor sich haben. Die lendenlahmen Zittergesellen, die keine einzige Erektion mehr zustande bringen, nicht an ihrem vierzigsten Hochzeitstag, nicht am ersten Mai und nicht an Silvester nach einem Dutzend Austern und einer Flasche Schampus, den sie aus goldgefassten Kristallgläsern schlürfen. Und genau deshalb erklären sie den Geldbesitz als unantastbar und heilig, genau deshalb hocken sie auf ihren Kohlen, weil sie damit die Macht, die sie naturgemäß längst abgeben müssten, behalten und mit Zins und Zinseszins mehren können bis ins Grab. Sie ficken mit Geld, und sie ficken die Jugend.

Hunkeler stöhnte. Aus Ärger, aus Wut, aus Frust über seinen miesen Job, er wusste es nicht. Die Phantasie an die Macht, ha! Er grinste bitter. Die Geldsäcke an die Macht, die Anpasser, die Saubermänner mit den verschissenen Unterhosen! So war die Wirklichkeit.

Vor einem Rotlicht hätte er beinahe einen vor ihm wartenden Wagen gerammt, so sehr war er in Fahrt. Der Schnee war jetzt schwer und nass, ein richtiger Pflotsch lag auf der Straße.

Er parkte vor seiner Wohnung und ging die wenigen Schritte zum Sommereck. Edi saß da, Beat und ein Neuer, der wie ein Lebensversicherungsvertreter aussah und André hieß.

Hunkeler bestellte eine Käseschnitte mit Ei und einen Milchkaffee. Er sagte nichts, er hörte zu, er aß. Zwischendurch achtete er auf die Musik, die aus der Musikbox kam: »Buona sera, Signorina, buona sera«, »See you later alligator«, die alten Evergreens und Straßenfeger, die Tröster seiner Jugend, »Working for the Yankee Dollar, yeah«.

Als Edi gegen 23 Uhr mit der Grappaflasche kam, winkte Hunkeler ab. Er wollte nicht, er hatte keine Lust. Hocken wollte er, ja, und zuhören wollte er auch. Aber saufen und reden wollte er nicht.

»Gratisabgabe von Grappa«, sagte der Antiquar Beat, als Edi einschenkte, »das ist Gratisabgabe von Rauschgift, und das erst noch in einem öffentlichen Lokal. Ist das nicht verboten?«

Die Männer schüttelten sich vor Lachen, kippten ihr Glas und ließen sich wieder einschenken.

»Jetzt reden die doch tatsächlich darüber, ob der Staat den Drögelern den Stoff gratis und franko abgeben soll. Habt ihr das gehört?«, fragte der Neue. Er trug eine Krawattennadel aus Silber, mit rotem Edelstein.

»Das wäre nicht das Dümmste«, sagte Edi, »warum eigentlich nicht?«

André knallte sein Glas auf den Tisch. »Wo leben wir denn eigentlich? In einem staatlichen Selbstbedienungsladen? Die gehören alle eingesperrt bei Wasser und Brot, bis sie nicht mehr süchtig sind oder meinetwegen verrecken. Und die Asylanten dazu. Einsperren bei Wasser und Brot, bis sie vernünftig werden. Meinst du eigentlich, ich will mit meinen Steuern denen ihr Rauschgift bezahlen, he?«

Edi lehnte sich zurück. Er war für den Frieden, wollte keinen Streit.

»Sind Sie Vertreter?«, fragte Hunkeler.

»Ja«, fauchte André, »warum?«

»Ruhe«, sagte Edi, »der Mann ist Polizist.«

»Ach so, der Herr ist Polizist«, giftete der Mann mit der Krawattennadel, und es war deutlich zu sehen, dass er schwer geladen hatte, ein Fuder Alkohol, zwei Fuder Frust und Wut.

»Der Herr ist sich zu gut, mit einfachen Bürgern zu reden, die arbeiten und ihre Steuern regelmäßig bezahlen. Wissen Sie, was ich tun würde, wenn ich die Macht hätte? Alle an die Wand stellen, Drögeler und Asylanten, und dann mit einem Maschinengewehr drüber, ratatatata.«

Hunkeler erhob sich so schnell, dass sein Stuhl nach hinten kippte. Er langte über den Tisch, griff mit beiden Händen dem Mann gegenüber an die Gurgel und drückte zu, zwei Sekunden, drei Sekunden, dann ließ er von ihm ab.

Edi war aufgesprungen und packte ihn am Arm. »Ruhe!«, schrie er. »Bist du wahnsinnig geworden?«

Hunkeler stand immer noch am Tisch. Er ließ seine Arme hängen und schaute zu André hinüber, der mit käsigem Gesicht auf seinem Stuhl saß und ihn anstarrte.

»Entschuldigung«, sagte er, »ich zahle morgen.«

Draußen wehte ein warmer Wind. Es war eher ein Sturm, ein Märzensturm. Hunkeler hörte hinter sich eine Dachlawine rutschen und aufs Trottoir knallen.

Was war los mit ihm? Warum hatte er urplötzlich einem wildfremden Mann an den Kragen gewollt?

Er musste jetzt schlafen. Er ging in seine Wohnung, stellte den Wecker auf sieben und legte sich ins Bett.

In dieser Nacht rauschte die angekündigte Warmluft über Basel hinweg. Sie rüttelte an den Fensterläden, riss den Rauch aus den Kaminen. Sie fuhr in den Schnee und brachte ihn zum Schmelzen, sie wehte die Dächer blank. Den schlafenden Menschen blies sie in die Träume.

Der Atlantikwind fraß den Schnee innerhalb weniger Stunden von den Hängen und Höhen der umliegenden Berge. Da der Boden noch immer gefroren war und kein Wasser aufnehmen konnte, floss es in Sturzbächen hinunter in die Täler. Die Wiese trat bei Zell über die Ufer und versperrte die Talstraße. Beim Wiesendamm in Basel floss sie über den Autobahnzubringer. Der Birsig überschwemmte die Heuwaage und ergoss sich durch die Steinenvorstadt, über Barfüßerplatz und Marktplatz bis zur Schifflände. Dort vereinigte er sich mit dem Rhein. Selbst die Birs trat über ihre breiten Ufer, ein unbändiger Wildbach plötzlich mit mächtigen Wellen.

Der Rhein stieg auf eine Pegelhöhe wie seit Jahrzehnten nicht mehr und überschwemmte die Auwälder unterhalb der Stadt. Dicke Bäume trieben Richtung Kembser Schleusen, herausgerissen aus den Jurahängen, sich drehend und schaukelnd.

An diesem Donnerstagmorgen um acht Uhr erwachte der Kriminalkommissär Hunkeler aus einem tiefen Schlaf. Er schaute zum Wecker hinüber, der auf dem Nachttisch stand und auf sieben Uhr gestellt war. Offensichtlich hatte er geklingelt, der Knopf war noch oben. Aber Hunkeler hatte nichts gehört.

Er erhob sich, setzte Teewasser auf, duschte sich, rasierte sich, putzte sich die Zähne, das übliche Morgenritual. Üblicherweise ödeten ihn diese seit Jahrzehnten eingeübten Handgriffe an, das Schrubben, das Schaben, das Bürsten und Gurgeln. Als sinnlos empfand er das, als ersten Schritt in die freiwillig gewählte alltägliche Sklaverei.

Heute verrichtete er das alles sorgfältig, mit Liebe zu sich selbst, wie ihm schien. Und er betupfte sich das glattrasierte Kinn mit dem sündhaft teuren Eau des Lilas, das ihm Hedwig aus Paris mitgebracht hatte.

Er fühlte sich gut. Und er wusste auch, warum. Nicht nur dass er lange geschlafen hatte, gab ihm dieses gute Gefühl. Vielmehr freute ihn, dass es ihm wieder einmal gelungen war, den Wecker nicht zu hören und eine Stunde über die geplante Zeit hinaus zu schlafen. Er war also noch keine Maschine, durfte noch hoffen auf menschliche Unzulänglichkeit.

Zudem hatte er wieder einmal seinen Kropf geleert, ansatzlos, unüberlegt, gründlich. Er hatte die Zeit der Scham, der Selbstbezichtigung am Morgen danach, der untertänigsten Entschuldigung per Telefon längst hinter sich. Er wusste, dass es besser war, Schimpfwörter auszuteilen und im Zweifelsfall einem debilen Arschloch sogar handgreiflich an die Gurgel zu fahren, als jeden Ärger hinunterzuschlucken. Macht kaputt, was euch kaputtmacht! Diesen Slogan hatte er sich ein für alle Mal hinter die Ohren geschrieben. Raus mit der Sprache, raus mit der Wut, raus an die frische Luft, sonst geht der Ärger an deine Leber. Aber immer schaffte man es eben nicht. Man wurde älter, man wurde zahm, die Eckzähne wurden stumpf und fielen einem aus dem Mund, man hockte da mit eingefallenen Lippen und schwieg.

Er trank im Stehen drei Tassen Tee. Als er das Treppenhaus hinunterstieg, versuchte er, Django vom Modern Jazz Quartet nachzupfeifen. Sanfte, schöne Töne.

Er parkte vor dem Lohnhof.

Im Büro saß Schneeberger und las die Zeitung. Er blickte kurz auf, schaute dann auf seine Uhr und las weiter.

Hunkeler setzte sich, zündete sich eine an und wartete.

Nach einer Weile sagte Schneeberger beiläufig: »Haller hat angerufen. Erdogan Civil ist um halb drei Uhr zur Arbeit gefahren. Wasseralarm.«

»Und Kayat?«

»Ach so, Kayat.« Schneeberger machte es spannend, wie immer, wenn er etwas herausgefunden hatte. »Kayat hat einen neuen Namen. Er heißt jetzt Assad Harif und ist Syrer. Er hat bis gestern Nachmittag 15 Uhr im Hotel Rochat logiert und ist dann ausgeflogen. Wohin, wissen wir nicht.«

»Hotel Rochat? Das sind ja keine fünfhundert Meter vom Drei Könige entfernt.«

»Genau deshalb haben wir ihn so spät gefunden«, dozierte Schneeberger, »weil wir gedacht haben, der verdrückt sich möglichst weit weg.«

Hunkeler erhob sich, stellte sich ans Fenster und schaute zum Ahorn hinüber. Die drei Krähen saßen dort, glänzend schwarz.

»Dieser Kerl tanzt uns ganz schön auf der Nase herum«, sagte er, »und das mag ich nicht. Hat er jemanden angerufen?«

Schneeberger schüttelte tadelnd den Kopf. »Meinst du, er sei blöd?«

»Nein.«

»Es gibt im Rochat unten in der Halle einen Telefonautomaten. Von dort aus hat er mehrmals angerufen.«

Hunkeler nickte. Das hatte er sich gedacht.

»Als ich im Drei Könige saß«, berichtete Schneeberger, »am Dienstagnachmittag, kurz vor 16 Uhr, fuhr draußen ein Taxi vor, aus dem eine sehr schöne, junge Dame stieg, die einen Mantel aus Leopardenimitation trug. Der war reichlich kurz für diese Jahreszeit, was verständlich war, denn sie hatte sehr schöne Beine.«

»Was war das für ein Taxi?«

»Das weiß ich nicht mehr. Hingegen weiß ich noch, dass sie dem Uniformmann an der Drehtür einen gelben Umschlag abgegeben hat.«

Er faltete die Zeitung zusammen und strich sie auf dem Tisch glatt. Er war und blieb ein kleiner, mickriger Pedant.

»Und?«, fragte Hunkeler.

»Ich erzähle das nur, weil die Person, die Herrn Kayat gestern Nachmittag im Hotel Rochat abgeholt hat, scheint's eine sehr schöne junge Dame war, die einen reichlich kurzen Mantel aus Leopardenimitation trug. Das ist dem Concierge aufgefallen wegen der schönen Beine.«

»Was ist dem Concierge sonst noch aufgefallen?«

»Leider nichts. Er hat keine Ahnung, was die beiden draußen gemacht haben, ob sie zum Beispiel in ein Auto gestiegen oder zu Fuß weggegangen sind.«

Hunkeler trat zum Tisch und strich sanft über das Buchenholz. »Und die Nummer des Taxis vor dem Drei Könige hast du also nicht?«, fragte er.

»Ich weiß nicht einmal die Taxifirma. Ich kann mir ja auch nicht alles merken.«

»Immerhin hast du dir Mantel und Beine gemerkt. Bravo.«

Schneeberger ging souverän darüber hinweg. »Ich habe alle Taxihalter in Basel und Umgebung angerufen und gebeten herumzufragen, wer zur fraglichen Zeit eine solche Person chauffiert haben könnte. Ich wette, der Mann meldet sich. So was vergisst keiner. Ich habe das übrigens heute Morgen getan, als du noch im Bett lagst.«

Er erhob sich, zerknüllte die Zeitung, warf sie in den Papierkorb und ging hinaus.

Hunkeler wandte sich wieder zum Fenster. Er betrachtete die schwarzen Vögel auf dem Baum, ihre starken Schnäbel. Warum hockten sie hier und nicht irgendwo draußen im Wald?

Er ging zur Tür und drehte den Schlüssel. Dann setzte er sich an den Tisch, ließ den Stuhl halbwegs nach hinten kippen und stellte die Fußsohlen gegen die Tischkante. Er umschlang mit beiden Armen seine Knie, schloss die Augen und wartete. Es fiel ihm nichts ein, was er hätte unternehmen können. Der Ball lag beim Gegner, und er selber konnte nur abwarten und hoffen, dass er einen Fehler machte. Diesen Moment durfte er nicht verpassen, für diesen Moment musste er gerüstet sein, nur darauf kam es jetzt an.

Er schloss die Tür wieder auf und holte sich einen Kaffee. Er trank ihn genüsslich, obschon er nicht besser schmeckte als sonst. Aber er war sich seiner Sache plötzlich sicher. Dieser Kayat war auf der Flucht, und sie waren ihm auf den Fersen. Irgendwann würde er die Nerven verlieren, und wenn sie Glück hatten, würde er sie sogar zu seinem Auftraggeber führen.

Hunkeler holte im Parterre unten ein Feldbett und zwei Wolldecken. Er stellte das Bett vor das Fenster, so dass er im Liegen die leere Krone des Ahorns vor sich hatte mitsamt den Krähen, die immer noch reglos verharrten. Er sperrte die Tür wieder zu, lockerte die Krawatte, legte sich aufs Bett, zog eine Wolldecke über sich und schlief ein.

Ein lautes Poltern weckte ihn. Jemand klopfte draußen gegen die Tür.

Er erhob sich und öffnete. Es war Suter, rot vor Entrüstung.

»Was fällt Ihnen ein, sich einzuschließen? Sie kapseln sich ab. Sie absonderlicher Mensch, Sie drücken sich vor Ihrer Arbeit, vor Ihrer Verantwortung. Wie bitte?«, schrie er, als er das Feldbett sah. »Sehe ich richtig? Sie schlafen während der Arbeitszeit Ihren Rausch aus? Auf Staatskosten? Wie viel haben wir denn wieder getrunken gestern Abend, Herr Kommissär, wenn man fragen darf?«

»Sie dürfen«, sagte Hunkeler. »Ich habe ein halbes Bier getrunken, es hat mir nicht geschmeckt. Dann habe ich zwei Tassen Milchkaffee getrunken. Die haben mir geschmeckt. Dann bin ich schlafen gegangen.«

»Das ist eine ungeheuerliche Impertinenz. Sie machen sich lustig über die Staatsanwaltschaft. Das wird Ihnen nicht guttun, Herr Kommissär. Dieser Saustall hier gehört ausgemistet, gründlich und endgültig. Und dafür werde ich sorgen, ich persönlich.«

Hunkeler setzte sich an den Tisch. »Ich habe eine Spur«, sagte er, »zusammengesetzt aus einzelnen Teilen, die ich noch nicht miteinander verbinden kann. Eine Kette gewissermaßen, in der mehrere Glieder fehlen. Es bleibt mir nichts anderes übrig, als zu warten, bis weitere Glieder auftauchen, welche die Lücken schließen. Das heißt, ich kann nichts anderes tun als warten. Und das tue ich hier, in diesem Zimmer. Und weil diese Warterei sich aller Voraussicht nach mehrere Tage hinziehen wird, habe ich mir erlaubt, ein Bett in mein Zimmer zu stellen, mich darauf zu legen und zu schlafen. Ich kann nämlich im Schlaf am besten denken, falls Sie das interessiert. Ich werde hier in diesem Zimmer so lange warten, bis etwas geschieht. Und wenn das eine Woche dauert. Sie wollen doch nicht, dass ich auf dem kalten Boden liege und mich erkälte?«

»Was Sie hier von Ketten und Gliedern und Spuren reden«, schrie Suter, »ist mir völlig egal. Sie haben den ganzen Fall vermasselt. Hundertprozentig. Wenn diese Diamanten tatsächlich in der Kanalisation unten lagen, so hätten Sie sie gestern holen müssen. Heute ist es zu spät. Alle diese Röhren sind vollständig überschwemmt. Da steigt Ihnen kein Schwein mehr hinunter, keine Sau steigt Ihnen da hinab. Haben Sie das nicht gemerkt?«

»Die Diamanten liegen schon längst nicht mehr dort unten.«

»So. Und wo liegen sie denn, wenn man fragen darf?«

»Ich habe Ihnen schon gesagt: Sie dürfen.«

Suter drohte zu explodieren, so rot wurde sein Gesicht. Aber er beherrschte sich, trat ans Fenster und atmete tief durch, ein gestresster Verantwortungsträger, der unter der Unfähigkeit seiner Untergebenen litt. Er drehte sich um und sagte: »Und warum haben Sie Herrn Dr. Zeugin belästigt, wenn man fragen darf?«

Ach so, da saß der Hase im Pfeffer. Hunkeler betrachtete

die Fingernägel seiner linken Hand. Er musste sie wieder einmal schneiden, sie wuchsen und wuchsen.

»Ich habe mich bei ihm über Herrn Huber erkundigt.«

»Ich weiß. Huber ist Dr. Zeugins Angestellter. Was soll daran verdächtig sein?«

»Ich habe Herrn Dr. Zeugin nicht gesagt, daran sei etwas verdächtig. Ich habe bloß ein bisschen mit ihm geplaudert.«

»So. Plaudern nennen Sie das. Dr. Zeugin ist entsetzt. Er ist geschockt. Und mit Recht. Dr. Zeugin ist ein absoluter Ehrenmann, der sich in selbstlosester Weise für diese Stadt einsetzt. Und jetzt dieser hinterhältige, gemeine Verdacht. Ich habe mich für Sie, Herr Kommissär, entschuldigen müssen, und ich habe mich dabei zutiefst geschämt.«

Suter brauchte einen Stuhl, so sehr setzte ihm seine Enttäuschung zu.

»Es ist ein Skandal«, klagte er. Er lockerte den Kragen, kratzte sich traurig am Nacken.

»Ich habe Dr. Zeugin gesagt«, erzählte Hunkeler, »dass wir einen heißen Tipp bekommen haben von wegen schmutzigen Diamanten.«

»Das nimmt ja kein Ende, diese miserable Stümperei«, klagte Suter, er weinte beinahe.

»Er hat sich sehr interessiert gezeigt zu erfahren, von wem genau dieser Tipp gekommen ist. Er hat tatsächlich insistiert. Ich habe es ihm nicht gesagt.«

»Was wollen Sie damit zum Ausdruck bringen, wenn man …«

»Nichts. Ich will nur sagen, dass es ihn tatsächlich außerordentlich zu interessieren schien, woher dieser Tipp gekommen ist. Ich meine, im Grunde kann ihm das doch gleichgültig sein.«

Suter saß da, den Blick gesenkt, eine lange Weile. Er schien das Holz der Tischplatte zu betrachten. Dann hob er den Blick, und er war plötzlich nicht mehr so sicher.

»Was Sie hier andeuten, ist ungeheuerlich. Wenn das stimmen sollte, so können wir unsere ganze Kulturaktion ›Die Welt im Gesang‹ abblasen. Das ist schlicht unmöglich.« Er überlegte, die Augen geschlossen, ein leidender, schon fast verbitterter Zug lag um seinen Mund. »Sind Sie sich eigentlich bewusst, was für einen entsetzlichen Verdacht Sie hier aussprechen?«

»Ja«, sagte Hunkeler. »Nur wissen wir ja beide, dass ohne Deckung von höchster Stelle dieser ganze milliardenschwere Drogenhandel gar nicht möglich wäre, nicht wahr, Herr Staatsanwalt?«

Suters Augen fixierten einen Punkt weit hinter der Wand, auf die sie gerichtet waren, weit hinter allen Mauern, Meilen entfernt. »Ich weiß«, sagte er leise, man hörte es kaum. »Die Welt ist ganz durcheinander. Der Teufel befiehlt.«

»Ich werde meine Arbeit also weiterführen«, sagte Hunkeler, »nicht wahr?«

»Tun Sie, was Sie tun müssen, was Ihres Amtes ist.« Suter erhob sich. »Sie sind ein Dickschädel, ein Sturkopf. Sie rennen ins Verderben.«

Er eilte hinaus und zog leise die Tür ins Schloss.

Kayat erwachte an diesem Mittag aus einem traumlosen Schlaf. Er fühlte sich schlapp, als hätte er tagelang darniedergelegen, genesend von einer schweren kräfteraubenden Krankheit. Einen Augenblick lang hatte er Mühe, sich im Wachsein zu orientieren, er wollte zurück in die Schwärze. Dann rollte draußen ein schweres Gefährt vorbei, das die Scheiben zum Klirren brachte.

Er erhob sich, er stand im Zimmer einer Altwohnung. Mehrere Tabakspfeifen lagen auf einem Tisch, Krawatten hingen an einem Nagel an der Wand. In einer Ecke standen ein Rucksack, ein Eispickel und hohe, schneefeste Bergschuhe. Der Boden war übersät mit aufeinandergeschichteten Büchern. Eine Studentenbude war das, das Zimmer eines jungen Mannes, der sich mit Literatur abgab.

Kayat erinnerte sich, dass dieses Zimmer an der Hegenheimerstraße lag. Er war gestern Nachmittag hergekommen, zusammen mit einer jungen Frau, die Fränzi Fornerod hieß. Und er hatte sechzehn Stunden geschlafen.

Er trat auf den Gang hinaus. Das Zimmer der Gastgeberin lag nach hinten. Die Tür stand offen, es war niemand da. Er schaute sich um, aus reiner Routine, er wollte sich ein Bild machen von der Person, bei der er wohnte.

Ein Schachspiel stand auf dem Tisch. An der Wand klebte ein Poster mit dem »Schrei« von Edvard Munch, daneben eine von der Dame wahrscheinlich selber gezeichnete Marionette, ein engelhaftes Mädchen mit flachen Kinderaugen in weißem Nachthemd, am Boden kniend, Hände und Füße an Fäden befestigt, die senkrecht nach oben führten. Wer diese Fäden in Händen hielt, war nicht zu sehen, die feinen Striche hörten am Bildrand auf.

Kayat ging in die Küche und öffnete den Kühlschrank. Alles war da. Käse, Butter, Milch, Trockenfleisch. Er aß und trank, er rauchte genussvoll zwei Zigaretten. In dieser Wohnung gefiel es ihm, hier war er in Sicherheit. Der Nachmittag lag vor ihm, frei und offen bis zum Abend. Erst dann, gegen 19 Uhr, wenn kaum mehr jemand auf den Straßen sein würde wegen des vielen Wassers, würde seine Arbeit beginnen. Sie würde ihn voll in Anspruch nehmen, möglicherweise die ganze Nacht und darüber hinaus.

Kurz nach 15 Uhr ging die Haustür, herein kam Fräulein Fornerod in ihrer Leopardenimitation. Wie es ihm gehe, wie er geschlafen habe, wollte sie wissen.

Gut, herrlich geschlafen, wunderbar gegessen und getrunken, die Wohnung sei sehr angenehm.

Und die Lastwagen?

Die habe er nicht gehört, die sei er gewohnt.

Sie verschwand in ihrem Zimmer und kam in einem langen, handgestrickten, hellblauen Kragenpullover wieder zum Vorschein. Sie legte einen Plastiksack mit einem schweren Gegenstand darin auf den Küchentisch. Der sei vom Chef, er solle ihn an sich nehmen.

Kayat wickelte eine schwarze Browning aus dem Sack. Er wog ihn kurz in der rechten Hand und legte ihn wieder hin.

»Nein«, sagte er, »ich und Pistolen, das geht nicht.«

Sie schaute ihn aus merkwürdig flachen Augen an, hilfesuchend, fast erschreckt.

»Bringen Sie diese Waffe bitte Ihrem Chef zurück, und sagen Sie ihm, er solle sich für solche Arbeit andere Leute suchen.«

Er nahm langsam ihre Hand, die neben der Browning lag, öffnete sie und legte ihre Innenseite an seine Lippen. Sie duftete gut. Er erhob sich, trat zu ihr, griff ihr ins kurze blonde Haar und beugte ihren Kopf nach hinten. Als er sie küssen wollte, sagte sie: »Bitte nein. Bitte keinen Sex.«

Er schaute ihr genau in die grauen Augen, und er sah, wie langsam Tränen herausrannen. Er neigte sich trotzdem zu ihr hinunter und küsste ihr Haar. Dann setzte er sich wieder hin.

»Entschuldigung«, sagte er, »Sie sind traurig, ich habe es nicht gleich bemerkt.«

Sie beugte sich über den Tisch, schluchzte ein paarmal krampfhaft und lautlos, richtete sich wieder auf und wischte mit dem Ärmel des hellblauen Pullovers die Tränen weg.

»Ich weiß, ich bin blöd«, sagte sie, »aber ich kann nicht.«

»Kein Problem«, sagte er, »Liebe kann nicht erzwungen werden.«

»Die Leute meinen immer, ich sei eine Sexbombe«, sagte sie, »das stimmt überhaupt nicht. Der Sexylook gehört einfach zu meinem Beruf. Ich bin so etwas wie eine Empfangs- und Begleitdame bei einer Handelsfirma.«

»Und was macht Ihr Freund?«

»Er will Schriftsteller werden. Er hat mich verlassen.«

Ihre Augen wurden nass, und wieder hingen Tränen an ihren Wimpern. »Er kann nicht schreiben, wenn er mit mir zusammen ist, hat er gesagt. Weil ich frigid bin.«

Die Tränen tropften auf den Tisch.

»Ihr Freund ist dumm«, sagte Kayat, »kein Mensch ist frigid. Ein Pfeifenraucher und Bergsteiger ist doch nichts für eine Frau wie Sie. Ein Schriftsteller schon gar nicht. Der denkt nur an sich selbst. Suchen Sie sich einen andern.«

»Er verachtet mich, weil ich bei diesem Herrn, bei dieser Firma arbeite. Aber irgendwo muss ich ja Geld verdienen. Ich bezahle die Wohnung und die laufenden Kosten, damit er Zeit hat zum Schreiben. Aber das ist eben nicht gegangen. Er konnte nicht schreiben, solange er bei mir war.«

»Jetzt fangen Sie nicht wieder an zu weinen, ich bitte Sie höflich darum. Es ist sehr schmerzlich, aus solchen Augen Tränen fallen zu sehen.«

»Was ich brauche, ist Ruhe.« Sie schluckte zweimal leer. »Ich glaube, ich bin einfach verletzt, in meiner Eitelkeit, meine ich. Er hat gesagt, ich sei eine eingebildete Zwetschge.«

»Welch herrliche Frucht.«

»Hören Sie endlich auf mit diesen Anzüglichkeiten. Ich glaube, ich bin einfach nicht geschaffen zur Liebe. Das macht doch nichts, oder?«

Er zuckte mit den Achseln, schaute sie an.

Sie legte ihm die Fingerspitzen der linken Hand auf den Handrücken, strich dreimal darüber. »Ich bin eine *wounded woman,* verstehen Sie? Ich brauche ein bisschen Zeit. Vielleicht geht's dann wieder.«

Er zog seine Hand zurück, fuhr sich übers Haar.

»Wie wär's mit einem Schach?«, fragte er.

»Herrlich. Mein Freund hat nie mit mir gespielt. Er hat gesagt, Schach sei die kapitalistische Pest per definitionem. Felder besetzen, Couloirs schließen, Bauern schlagen, Damen attackieren. Das wollte er nicht haben.«

»Wie oft haben Sie mit ihm gespielt?«

»Nur drei Mal. Dann war es aus.«

»Und wer hat gewonnen?«

»Immer ich.« Sie lachte herzlich. »Sie meinen, das hat er nicht ertragen?«

Er zuckte wieder mit den Achseln, und sie holte nebenan Brett und Figuren.

Kayat begann mit dem weißen Damenbauern. Dann zog er auf c4. Sie nahm das Damengambit nicht an, sondern brachte den Springer auf f6.

Sie spielten mehr als zwei Stunden, langsam, bedächtig, immer genau, bis beide nur noch den König und zwei Bauern hatten, die sich gegenseitig blockierten.

»Ein bisschen verstehe ich Ihren Freund schon«, sagte Kayat, »dass er nichts mehr wissen wollte von Schach. Sie spielen wie der Teufel.«

Ihr Gesicht hatte sich gerötet. »Wenn ich den Läufer nicht von d5 zurückgezogen hätte, hätte ich gewonnen.«

»So. Und warum haben Sie ihn zurückgezogen?«

»Wegen des Turms auf a7.«

»Sehen Sie, Sie hatten Angst um Ihren Turm. Mit Recht übrigens, wenn ich mich richtig erinnere.«

Sie nickte. »Aber ich hätte es trotzdem versuchen sollen. Spielen wir noch einmal?«

Er schaute auf die Uhr. Es war kurz nach sechs.

»Es tut mir sehr leid«, sagte er, »es war mir ein Vergnügen. Aber jetzt muss ich meinen Job machen.«

»Vielleicht morgen Nachmittag um die gleiche Zeit?«

»Ich fürchte, das geht nicht. Ich weiß nicht, wie lange mein Job dauert. Aber wenn er beendet ist, werde ich sogleich abreisen.«

»Das Zimmer steht jederzeit zu Ihrer Verfügung«, sagte sie, und um ihren Mund lag wieder das entzückende Lächeln.

»Danke sehr. Die Tasche nehme ich mit, den Haus- und Wohnungsschlüssel auch. Man weiß ja nie.«

Sie betrachtete die Pistole auf dem Tisch. Auf ihrer Stirn, dicht über der Nasenwurzel, erschienen zwei senkrechte Falten.

»Ach ja, die Waffe. Sie sollen sie unbedingt an sich nehmen, hat der Chef gesagt.« Ihre grauen Augen blickten streng.

»Sagen Sie Ihrem Chef, wenn er jemanden umbringen will, so soll er das selber machen.«

»Das wird er nicht gerne hören. Und dann schimpft er wieder mit mir.«

Sie stand unter der Küchentür, mit verschränkten Armen, den Blick gesenkt. Er ging zu ihr hin und küsste sie auf die Stirn.

»Wenn ich wieder einmal in Basel bin«, sagte er, »melde ich mich, und wir spielen eine Revanche. Abgemacht?«

Sie hob den Blick, ein bisschen erschreckt, und sie nickte.

»Und noch etwas. Ich möchte Ihnen einen Rat geben, natürlich nur, wenn Sie wollen.«

Sie nickte wieder, sie sah ihn hoffnungsfroh lächelnd an.

»Sie sind eine blitzgescheite Frau, und Sie wissen das genau. Also spielen Sie nicht dauernd die ahnungslose Unschuld vom Lande.«

Sie lächelte wie ein Engel, mit flachen Kinderaugen. »Ich glaube beinahe«, sagte sie, »Sie sind ein Macho. Der letzte richtige Macho auf diesem Erdboden. Das ist doch gar nicht mehr modern. Haben Sie das noch nicht gemerkt?«

Er verbeugte sich höflich, öffnete die Wohnungstür, ging hinaus und zog die Tür behutsam hinter sich zu. Er musste jetzt als Erstes den Amerikanerwagen finden, den weißen Oldtimer mit dunkelrotem Verdeck, der irgendwo in der Nähe der Lörracherstraße stand.

Erika Waldis ging durch die Lörracherstraße zu ihrer Wohnung. Das Trottoir war schneefrei. Im Straßengraben lag der Matsch noch kniehoch. In einem geparkten Wagen saß ein Mann, der eine geschwungene Luzerner Pfeife rauchte und ein Buch las.

Sie achtete nicht darauf, sie hatte andere Sorgen. Den ganzen Tag über hatte sie immer wieder an den Besuch des Polizisten von gestern Abend gedacht, an seine Fragen nach den Diamanten, an seine Warnung. Sie wusste, dass er recht hatte. Selbstverständlich war Erdogan in Gefahr, und sie als seine Freundin war das auch. Den Zettel mit den Telefonnummern hatte sie bei sich in der Handtasche. Aber sie hatte nicht angerufen, sie brachte es nicht übers Herz.

Sie hatte verbilligten Aktions-Lachs gekauft und Weißbrot, sie wollte Erdogan verwöhnen. In der Kinderabteilung hatte sie ein Spielzeugschaf aus schwarzem Holz gefunden, dessen Kopf und Rücken mit echter Schafwolle geschmückt waren. Das wollte sie vor seinen Augen auf den Tisch stellen, an diesem Geschenk sollte er ihre treue Liebe erkennen.

Als sie das Treppenhaus hochstieg, verließ sie einen Moment lang der Mut. Was war, wenn er gar nicht mehr da war? Wenn er mit den Diamanten bereits in die Heimat geflohen war? Dann hatte sie ihn endgültig, für alle Zeiten gesehen. In die Schweiz zurückkommen würde er nie, und in der Türkei suchen konnte sie ihn nicht. Wer war sie denn? Seine Ehefrau, die ihm von Staats wegen angetraut war, die er nicht einfach so verlassen konnte? Nein, diese Rolle hatte eine andere Frau. Sie selber war nur geduldet, jederzeit verstoßbar. Zudem war sie vierzehn Jahre älter als er, noch gut in Form zwar, wie sie fand, gesund und hübsch, aber eben doch schon bald eine alte Frau.

Sie liebte ihn, wie sie noch nie einen Mann geliebt hatte. Weil er freundlich war, gescheit und zuverlässig. Und weil er nach Myrrhe roch. Er hatte es gut bei ihr, besser als seine Kollegen, die zu sechst in Dreizimmerwohnungen lebten. Er würde sie also in absehbarer Zeit nicht verlassen, wenn nichts Außergewöhnliches geschah. Diese Diamanten waren aber etwas Außergewöhnliches, und deshalb hasste sie sie.

Das Beste wäre, wenn die Steine verschwinden würden, mir nichts, dir nichts, ohne großes Aufsehen, wegtauchen, so wie sie aufgetaucht waren, basta. Mit der Polizei ging das nicht. Wenn sie die Polizei angerufen hätte, wäre das Verrat gewesen, und Erdogans Liebe wäre in Hass umgeschlagen.

Sie betrat die Wohnung, entschlossen zum Kampf.

Erdogan saß auf dem Kanapee vor dem laufenden Fernseher. Nebenan stand sein Koffer, dick und voll, die beiden Schlösser zugeschnappt, mit einem starken Lederriemen gesichert.

Erika trat zum Tisch, riss das Holzschaf aus der Verpackung und stellte es vor ihn hin. »Koyun«, sagte sie, »das ist unser Schaf.«

Er schaute sie verständnislos an, nahm das Schaf in die Hand, schaute es an, stellte es wieder hin.

»Es gibt geräucherten Lachs«, sagte sie, »aus Norwegen. Aktions-Lachs.«

Sie ging in die Küche, setzte Wasser auf, schüttete Teepulver in den Krug. Sie versuchte, sich zu fassen. Dieser Koffer. Fertig gepackt zur Abreise. Und auf das Schaf war er mit keinem Wort eingegangen.

Sie legte den Lachs auf die Anrichte, zart geschnittene orangefarbene Scheiben, fein duftend nach Rauch und Fisch. Dazu frisches Brot. Und im Kühlschrank stand noch ein angebrochenes Glas Kapern.

Aber er wollte fort. Er hatte gepackt, ohne ihr etwas zu sagen.

Sie merkte, dass sie immer noch Mantel und Kopftuch trug. Sie war geflüchtet vor diesem Koffer in die Küche hinein, sie wollte diesen Koffer nicht sehen.

Sie trat wieder ins Wohnzimmer, stellte den Fernseher ab, knöpfte sich den Mantel auf.

»Wo sind die Diamanten?«, fragte sie.

Er schaute sie an, er hatte Angst. »In meinem Garderobenkasten an der Hochbergerstraße.«

»Warum?«

»Dort haben sie schon gesucht. Dort suchen sie nicht mehr.«

»Warum hast du gepackt?« Es wurde jetzt ein richtiges Verhör, aber das war ihr egal.

»Ich fliege übermorgen nach Izmir, 11 Uhr 30 ab Zürich-Kloten.«

Ihr Gesicht war schneeweiß. »Und ich?«

»Du kannst mitkommen. Du kannst gerne mitkommen. Ich frage Muhammed Ali, ob noch ein Platz frei ist. Bestimmt ist noch ein Platz frei.«

Er log, und er wusste, dass sie das merkte.

»Ich hole am Samstagmorgen in der Garderobe die Diamanten, dann fahren wir zusammen nach Kloten, steigen ins Flugzeug und fliegen fort. Einverstanden?«

»Und du glaubst, die lassen dich einfach so gehen? Sie wissen, dass du die Diamanten hast, sie nehmen an, dass du in die Türkei abhauen willst, und sie werden dich umbringen, bevor du dich in dieses Flugzeug setzen kannst.«

»Nein«, sagte er, »sie wissen nicht, was ich vorhabe. Sie wissen nicht, dass ich schon übermorgen verreise. Ich bin schneller als sie. Und die Diamanten verschlucke ich.«

In der Küche pfiff der Wassertopf. Sie ging hin, schaltete die Herdplatte ab und goss auf. Sie ließ den Teekrug stehen und kehrte ins Wohnzimmer zurück.

»So«, sagte sie, »jetzt rufst du den Polizisten von gestern Abend an. Er ist rund um die Uhr erreichbar, hat er gesagt.« Sie nahm den Zettel aus der Tasche, legte ihn auf den Tisch.

»Nein. Ich liebe dich, das weißt du. Du bist eine sehr gute Frau für mich.« Er schaute sie an, ehrlich und fest, und sie glaubte ihm. »Aber diese Diamanten muss ich behalten. Es geht nicht anders. Und wenn sie mich umbringen wollen. Diese Diamanten sind wichtiger als ich und du. Ich habe Kinder. Die sollen reich sein, nicht arm.«

Sie schwieg. Sie wusste, dass es war, wie er sagte.

»Wenn du willst, kannst du mitkommen. Meine Frau weiß, dass ich hier mit einer andern Frau zusammenlebe. Es gibt schöne Hotels in Selçuk. Man kann dort gut Ferien machen. Ich bezahle das alles. Ich bezahle auch das Auto. Und ich gebe dir Geld, dass du etwas anfangen kannst. Eine chemische Reinigung oder so. Hier in Basel oder in Selçuk. Ich werde dich besuchen. Ich will dich nicht verlieren. Du bist meine Freundin, und du sollst meine Freundin bleiben.«

Schöne Worte, dachte Erika. Gute Worte, wenn er sie ernst meint. Geld für eine chemische Reinigung, nicht schlecht. Selçuk im Februar, der Frühling ist nahe, die Blumen duften, die Luft wird mild. Sie überlegte, begann zu hoffen.

»Ich meine es ernst«, sagte er.

»In welchem Monat kommen die Störche zurück?«, fragte sie.

»Ende April, manchmal Anfang Mai. So lange musst du bleiben. Hier bist du in Gefahr, wenn ich weg bin. Sie werden sich an dich halten, sie werden dich plagen. Wenn du mit mir kommst, werde ich dich beschützen. In Selçuk bist du in Sicherheit.«

Sie musste sich setzen, sie zitterte am ganzen Körper.

»Ich bin ein Mann von Wort«, sagte er.

Da klingelte das Telefon, einmal, zweimal, dreimal. Beim vierten Mal erhob sie sich und ging hin.

»Nein«, sagte Erdogan, »hier ist niemand zu Hause. Nimm nicht ab. Auf keinen Fall.« Er blieb sitzen, traf keine Anstalten, sie zu hindern, saß starr vor Schreck.

Erika hob ab.

Es war die Stimme, die sie kannte. »Hör mal, ich brauche deinen türkischen Freund. Ich habe ihm eine wichtige Mitteilung zu machen.«

Erika winkte, aber Erdogan blieb sitzen. Sie löste ihr Kopftuch, wickelte es um die Sprechmuschel und ging zu ihm hin.

»Du musst mit ihm reden«, flüsterte sie, »unbedingt. Du musst verhandeln. Er lässt dich sonst nicht los.«

Sie zerrte ihn am Ärmel hoch, nahm das Kopftuch weg und drückte ihm den Hörer in die Hand.

»Ja«, sagte Erdogan, »bitte? Was wollen Sie von mir?«

»Das weißt du doch, mein Freund«, sagte die Stimme, und Erika verstand jedes Wort, »wir haben uns ja gestern Abend kennengelernt. Du saßest in einem schönen Cabriolet mit rotem Verdeck. Woher hast du das?«

»Das gehört meiner Freundin«, presste Erdogan hervor, der Schweiß stand ihm in großen Tropfen im Gesicht.

»Ach so«, sagte die Stimme, »du verschenkst bereits Autos. Ist das nicht ein bisschen zu früh? Du hast doch die Diamanten nicht etwa schon verkauft?«

»Ich weiß nichts von Diamanten. Gar nichts.«

»Hör jetzt gut zu, mein Freund. In genau einer Viertelstunde stehe ich vor deiner Wohnungstür. Und du wirst mir die Diamanten übergeben. Sonst geht's dir schlecht. Und deiner Freundin auch. Begriffen?«

»Jawohl«, sagte Erdogan. Er hörte, wie aufgelegt wurde.

Erika holte den Zettel. »So«, sagte sie, »jetzt wird's gefährlich, und das ist nicht mehr lustig. Du rufst die Polizei an, die ist in zehn Minuten hier.«

Erdogan zog den Mantel an, dann die Stiefel, ergriff den Koffer. »Los jetzt«, sagte er, »komm.«

»Du bist wahnsinnig«, schrie sie, »du machst alles kaputt. Du Aff.«

Aber er war schon weg, draußen im Treppenhaus. Sie hörte seine Stiefel auf die Stufen klopfen. Sie zögerte, aber nur kurz. Sie schaute die Nummern auf dem Zettel an, steckte ihn dann ein. Sie nahm ein Nachthemd aus der Kommode und etwas Wäsche, holte im Badezimmer die Toilettensachen, schob das Holzschaf in die Tasche. Sie überlegte, suchte den Pass hervor und etwas Geld, schloss die Wohnung ab und stieg die dunkle Treppe hinunter.

Erdogan stand im Ausgang zum Hinterhof, sie sah ihn kaum.

»Los«, zischte er, »beeil dich, sie warten vorn auf der Straße.«

»Du spinnst«, flüsterte sie, »du bist völlig übergeschnappt.«

»Wir gehen durch den Hinterhof und suchen drüben einen Durchgang. Dann gehen wir zum Auto an der Hammerstraße und hauen ab.«

»Du hast zu viele Kriminalfilme gesehen. Du bist blöd im Hirn.«

Sie stapften durch den Schneematsch an der Schreinerei vorbei. Es tropfte vom Dach und von den Bretterbeigen. Das nasse Holz roch gut, es war Tannenholz.

An der Mauer, welche die beiden Grundstücke trennte, hielten sie an. Sie war zwei Meter hoch.

»Da hinüber bringst du mich nie«, flüsterte Erika, »ich bin viel zu dick.«

»Moment«, sagte er und verschwand hinter dem Holz. Gleich darauf erschien er wieder mit einer Leiter. »Ich weiß, wo die hängt«, sagte er, »ich habe gut beobachtet.«

Er stellte die Leiter an, sie stieg hinauf und fuhr mit der Hand prüfend über die Kante. »Fingerdick Eis«, meldete sie, »aber keine Scherben.« Sie setzte sich rittlings auf die Mauer, schaute zu, wie er mit dem schweren Koffer hochkletterte, die Leiter auf die andere Seite kippte und hinunterstieg. Sie folgte ihm langsam, Sprosse für Sprosse. »Das ist ja wie im Wilden Westen«, flüsterte sie, als sie unten war. »Was machen wir mit der Leiter?«

»Stehen lassen. Los jetzt. Wir haben schon halb gewonnen.«

Sie stapften unter einer Tanne hindurch, kamen zu einer Tür. Er drückte auf die Klinke, die Tür ging auf. »Schwein gehabt«, grinste er.

Sie durchquerten den Durchgang, an hohen Mülleimern vorbei. Dann standen sie auf der Straße. Er packte sie an den Oberarmen, schüttelte sie, schrie ihr ins Ohr: »Gewonnen. Wir haben gewonnen.«

Er gefiel ihr. Er war ein Lausbub, er riss sie ins Abenteuer.

Sie gingen nach rechts, ziemlich schnell, Erika keuchte. An den Schenkeln spürte sie immer noch die Nässe der Mauer. Er schaute nicht zurück, nur geradeaus, was sie erstaunte. Wenn sie verfolgt wurden, so kam der Verfolger doch von hinten, nicht von vorn. Sie selber hatte keine Zeit, sich umzudrehen, sie hatte genug damit zu tun, ihm zu folgen. Das aber wollte sie unter allen Umständen tun.

Die Straßen lagen menschenleer. Einmal fuhr ein Auto

vorbei. Es war ein Kastenwagen eines Reinigungsunternehmens, der Firmenname war deutlich zu lesen. Nach wenigen Minuten sah sie rechts vorn den Amerikanerwagen. Er stand im Parkverbot, ein Bußenzettel klebte an der Frontscheibe. Erdogan nahm ihn weg, zerknüllte ihn, warf ihn zu Boden. Er setzte sich ans Steuer, drehte den Zündschlüssel, der Motor sprang an. Er grinste zu ihr hinüber.

»Abgehängt«, sagte er, »die können mich alle kreuzweise.«

Der Wagen rollte langsam auf die Straße hinaus. Erika hielt die Tasche auf ihrem Schoß umklammert. Ihr Atem ging schwer, sie versuchte, sich zu beruhigen. Das war zwar alles schön und recht und spannend, was hier geschah, es war eine Art Entführung. Aber musste es sein, in ihrem Alter! Dieser Kindskopf nebenan, diese Spielernatur, er brachte sie noch beide ins Unglück.

»Wohin fährst du?«

»Irgendwohin. Nur fort, nur weg.«

Sie drehte sich um und schaute durchs kleine Heckfenster. »Da hinten ist einer«, sagte sie, »der fährt uns nach, der verfolgt uns.«

»Ich habe ihn schon längst gesehen«, sagte er, »das ist Zufall. Der fährt einfach in die gleiche Richtung. Kein Mensch hat uns gesehen.«

»Dreh nach links ab«, befahl sie, »wir fahren ins Elsass nach Neuwiller.«

Er schüttelte den Kopf. »Nein, nicht über die Grenze. Das gibt nur Schwierigkeiten.«

»Dreh jetzt nach links.« Sie sagte es sicher und bestimmt, sie hatte sich wieder gefasst. Er gehorchte.

»Der Grenzübergang nach Neuwiller ist um diese Zeit unbewacht«, sagte sie, »dort steht am Abend keiner mehr. Das gibt überhaupt keine Schwierigkeiten.«

Sie schaute wieder nach hinten. Das fremde Auto war ihnen gefolgt. Im Lichte einer Laterne sah sie, dass es ein roter Kleinwagen mit einer Antenne war.

»Der ist immer noch hinter uns her«, sagte sie, »es ist ein kleines, rotes Auto mit Antenne.«

»Ich weiß.«

Er riss den Wagen in eine Kurve. Der Motor heulte auf, beschleunigte. Wieder drehte sich Erika um. »Der ist immer noch da«, meldete sie, »das ist ja eine richtige Verfolgungsjagd. Mein Gott, und ich hocke mittendrin.«

Er bog auf die Dreirosenbrücke ein und trat aufs Gas. Das fremde Auto blieb hintendran.

Wenn uns eine Polizeipatrouille schnappt, sind wir gerettet, dachte Erika. Und laut sagte sie: »Du fährst einfach über sämtliche Rotlichter. Wenn er uns folgt, wissen wir Bescheid.«

»Der fremde Mann hat einen roten Kleinwagen«, sagte er, »ich habe ihn gestern damit herumfahren sehen.«

»Mit Antenne?«

Erdogan nickte. »Aber das kann Zufall sein. Rote Kleinwagen mit Antenne gibt es Hunderte. Und ein Rotlicht überfahre ich nicht, sonst schnappt mich die Polizei.«

Er bremste ab und überquerte den Voltaplatz Richtung Allschwil. »Die Grenze ist gut«, sagte er, »die Grenze ist eine Falle. Wenn er es ist, hat er Angst vor Grenzen. Er fürchtet sich noch viel mehr vor Grenzen als ich.«

Die fremden Scheinwerfer blieben dran. Sie kamen nie

so nahe, dass sie den Mann am Steuer hätten erkennen können.

In Allschwil bei der Kirche, wo die Straße nach Neuwiller abzweigte, blieben die Lichter plötzlich zurück. Erdogan steuerte den Hohlweg hinauf, wo noch Eis lag. Der Wagen schlingerte, krachte mit dem rechten vorderen Kotflügel in den Schneewalm am Straßenrand, pflügte sich hindurch und geriet wieder auf die Fahrbahn.

»Verdammt«, fluchte er, »das kann ich jetzt nicht brauchen. Wenn wir steckenbleiben, holt er uns aus dem Wagen. Ist er noch da?«

Erika schaute angestrengt nach hinten. Die Straße lag leer und dunkel, keine Scheinwerfer weit und breit.

»Nein, er ist weg.«

»Bist du sicher?«

»Wir warten oben auf der Höhe und schauen, ob er auftaucht oder nicht.«

Erdogan hatte sich tief über das Steuer gebeugt. Er schien die Straße mit den Augen aufsaugen zu wollen. Oben ließ er den Wagen auslaufen. Sein Kopf sank vornüber, seine rechte Hand legte sich auf ihren Schenkel. »Und?«, flüsterte er.

Sie drehte sich noch einmal um, obschon sie wusste, dass die Straße hinter ihnen leer war. Dann strich sie ihm übers Haar.

»Nichts«, sagte sie, »er hat abgedreht, er hat Angst vor der Grenze.«

Sein Rücken begann zu zittern, dann hörte sie ihn schluchzen. Er drehte sich zu ihr hin und legte den Kopf heftig an ihre Brust. Sie umarmte ihn, streichelte ihn.

»Es wird alles gut«, murmelte sie, »es tut dir niemand etwas an.«

Sie fuhren weiter über die Hochebene, wo schwerer, gepresster Schnee lag, dann durch den Wald. Die Buchenstämme glänzten im Lichte der Scheinwerfer, die Schatten tanzten. Am Grenzübergang stand niemand. Auf einer Tafel war zu lesen, dass die Passage nach 19 Uhr mit gültigen Ausweisen und ohne Waren gestattet sei.

»Gut, dass er das nicht weiß«, presste Erdogan hervor. Die Angst war ihm noch immer anzumerken. Plötzlich trommelte er auf das Steuerrad, puffte sie in die Seite. Er lachte, er kicherte wie ein Verrückter, öffnete das Fenster, schrie in die Nacht hinaus: »Leck mich am Arsch, leck mich am Arsch!«

Das Auto fuhr langsam und beruhigend sicher durch die dunkle Landschaft. Die Felder leuchteten weiß. Einzelne Bäume tauchten auf im Lichtkegel, verkrüppelte, alte Obstbäume, auf denen Misteln wuchsen.

Sie erreichten das Dorf. Es lag still und verschlafen. Vor der Auberge standen ein paar Autos mit Basler Nummern. Der Bach davor war über die Ufer getreten. Kies lag da, kleines Astwerk, Schlamm. Erdogan bremste ab und ließ die Pneus langsam darüberrollen. Ein feines Sirren war zu hören, als würde Seide zerrissen. Er parkte unter den Bäumen.

Sie betrachtete die beleuchtete Fassade, die hellen Verputzflächen zwischen den dunklen Eichenriegeln. Das war ein Haus wie aus einem Märchen, aufgetaucht aus Tausendundeiner Nacht.

Es war ein Doppelzimmer frei, das auf den Bach hinausging. Verschalte Balken trugen die Decke. Die Dielen am Boden knarrten. Wie früher in Weggis, dachte Erika. Sie packte ihr Nachthemd aus, legte es auf die blaukarierte Decke. Sie stellte das Holzschaf auf den Nachttisch.

Erdogan stand am Fenster, schaute nach vorn zur Straße. Das ruhige Rauschen des Baches füllte den Raum.

»Hier sind wir sicher«, sagte er und wandte sich ins Zimmer zurück. »Ferien auf dem Lande, Ferien in Frankreich. Das machen wir jetzt oft, jedes Wochenende.«

Sie stand vor ihm, schaute ihn erwartungsvoll an.

»Ich meine, wenn ich wieder zurück bin aus der Türkei. Wenn ich die Diamanten verkauft habe.« Er sah das Schaf. »Das ist ein schönes Geschenk. Ein liebes Geschenk. Ich danke dir.«

»Ich brauche eine Viertelstunde, bis ich fertig bin«, sagte sie, »dann essen wir unten. Ich lade dich ein.«

Sie trat ins Badezimmer, um sich schönzumachen. Es war das erste Mal, dass sie auswärts, in einem Hotel übernachteten, und sie wurde nervös. Das war ein luxuriöses Zimmer, eine erstklassige Absteige für Geschäftsleute und ihre Sekretärinnen. Es stand sogar ein Bidet neben der Toilettenschüssel, ein Bidet für Damen, und sie war doch gar keine Dame. Oder doch?

Sie schaute sich prüfend an im Spiegel, ihre dicken, festen Lippen, die kräftige Nase, die war etwas zu groß. Die hellen Augen, halb gelb, halb grün, die gefielen ihr am besten. Dann das lange, dunkelblonde Haar. Sie hätte es schon längst schneiden lassen sollen. Aber sie hatte keine Ahnung gehabt, dass sie an diesem Abend nach Frankreich verreisen würden, sonst hätte sie bestimmt die nötigen Vorkehrungen getroffen.

Ich bin keine Dame, dachte sie, und ich will auch gar keine Dame sein. Ich bin eine Frau vom Lande, die an der Kasse arbeitet. Er muss mich so nehmen, wie ich bin, schließlich hat er mich hierher eingeladen. Basta.

Trotzdem half sie nach, wo sie konnte. Sie tupfte sich sogar einige Tropfen des französischen Parfüms Fleur de Nuit, das sie von Nelly an Weihnachten erhalten hatte, unters Kinn, und sie gefiel sich nicht schlecht, als sie ins Zimmer zurückging.

Erdogan lag auf dem Bett, das Gesicht zur Decke gerichtet.

»Reichtum ist gut«, sagte er, »Reichtum macht stark wie ein Pferd.« Er lachte vergnügt. »Nein, das stimmt nicht. Reichtum macht stark wie zwei Pferde oder sogar wie eine Herde.«

Er drehte den Kopf. »Schau an«, sagte er, »du hast dich richtig schöngemacht.«

Sie strahlte ihn an, streichelte ihm über die Stirnglatze. »Ich habe mich so schöngemacht, wie es in meinem Alter noch geht. Komm jetzt essen, ich habe Hunger.«

Sie stiegen die Treppe hinunter, sie voraus, er hinterdrein, feierlich.

Im Restaurant erhielten sie einen Tisch gegen den Bach hinaus. Man sah das Cabriolet in der Dunkelheit stehen, halb verdeckt von einem Baum.

»Das ist jetzt schon das zweite Mal, dass wir ausfahren«, sagte Erika, »erst auf die Gempenfluh, jetzt nach Frankreich. Das war ein guter Kauf.«

»Stimmt«, sagte Erdogan, »aber zu auffällig. Ich bringe es morgen zurück.«

Er sah, wie sie traurig wurde, sie senkte den Blick.

»Nicht traurig sein«, sagte er und ergriff ihre Hand, »bitte nicht. Du kommst einfach mit.«

»Wie sieht deine Frau aus? Ähnlich wie ich?«

»Sie ist ein bisschen kleiner und ein bisschen dicker, aber sie ist dir ähnlich.«

»Und deine drei Kinder, wie heißen sie?«

»Memed, Elvira, Yasar.«

»Gehn sie zur Schule?«

»Ja, ich glaube. Nur Yasar noch nicht. Er ist zu jung.«

Er gab bereitwillig Auskunft, freundlich, es machte ihm nichts aus, ihr über seine Familie zu erzählen. Vielleicht wäre das die Lösung, dachte sie, die Vielweiberei, bei Muslimen war das doch erlaubt.

Der Kellner trug eine Platte mit gebratenen Fasanen vorbei.

»Schau an, wie die schön sind«, sagte Erdogan, »bei den Vögeln ist es gerade umgekehrt als bei den Menschen. Bei den Fasanen ist das Männchen schön und farbig, nicht das Weibchen.«

»Findest du mich schön und farbig?«

»Ja, sehr schön und farbig, wie ein Fasanenmann. Siehst du, jetzt lachst du wieder. Heute wollen wir lachen, die Tränen kommen noch früh genug. Und wir essen jetzt zusammen einen Fasanenmann.«

»Nein, ich mag Wild nicht. Und so ein Fasan dauert mich. Wir essen einen Fisch zusammen.«

»Auch gut, ein Fisch.«

Sie studierte die Karte. »Hier. Loup de mer. Wenn wir schon keinen Aktions-Lachs essen, so essen wir eben einen Loup de mer.«

»Und der dauert dich nicht?«

»Nein, das ist ein Wolf, ein Meerwolf. Und dazu trinken wir eine Flasche Elsässer Weißwein.«

»Bier, ja«, sagte er, »aber Wein nicht.«

»Doch, jetzt machst du eine Ausnahme. Vielleicht ist es das letzte Mal«, sagte sie tapfer, »dass wir zusammen essen.«

»Wer weiß, was morgen ist. Trinken wir Wein.«

Erika gab die Bestellung auf. Der Kellner brachte den Eiskübel mit der eleganten, langen, schmalen Flasche drin. Erdogan musste probieren.

»Ich verstehe doch nichts davon«, protestierte er, »ich merke nicht, ob er gut oder schlecht ist.«

»Nichts da«, befahl sie, »der Monsieur probiert und sagt der Dame, ob er gut ist.«

Er nahm einen Schluck, nickte, der Kellner schenkte nach. Dann wurde eine große Platte gebracht mit einem kräftigen, wunderschönen Fisch darauf, wie sie noch keinen gesehen hatte bei Weggis im Vierwaldstättersee. Nur Barsche kannte sie, Egli, wie man sie nannte zu Hause, die gefräßigen Raubfische mit der stachligen Rückenflosse. Dieser Fisch hier war edler.

»Kennst du diese Sorte Fische? Die sind aus dem Meer, und du bist doch auch vom Meer.«

»Wir sind zu Hause Bauern«, sagte er, »wir essen nie Fisch.«

»Was dann?«

»Was man halt so isst. Kartoffeln, Brot, Gemüse.«

»Und Fleisch?«

»Fleisch ist teuer. Vielleicht einmal ein Schaf, an einem Festtag oder so.«

»Koyun.«

Er nickte. »Du musst das alles kennenlernen. Ich meine es ernst. Du musst mitkommen, ich bezahle die Reise, und ich zeige dir alles.«

»Auch die Kinder?«

»Natürlich, die Kinder zeige ich dir auch.« Er hob sein Glas.

»Prost. Auf ein schönes, langes Leben. Sagt man das so?«

»Ja. Wir stoßen an auf ein schönes, langes Leben.« Sie hob ihr Glas.

Der Kellner filetierte den Fisch, servierte. Sie aßen andächtig und waren sich einig, dass das der beste Fisch war, den sie je gegessen hatten. Die Flasche tranken sie leer, wenn auch mit Mühe, sie waren Wein nicht gewohnt. Aber sie behauptete, es sei unanständig, eine so teure Flasche halbvoll stehen zu lassen.

Leicht beschwipst stiegen sie die Treppe hinauf ins Zimmer. Durch das offene Fenster wehte kühle, feuchte Nachtluft herein.

»Weißt du, was?«, fragte sie, als sie im Bett lag und auf ihn wartete. »Wir fahren morgen einfach weiter, bis nach Paris, und dann noch weiter bis ans Meer. Ich möchte mit dir die Wellen rauschen hören.«

Er legte sich zu ihr, behutsam und lieb. Er küsste sie, sie küsste zurück, mit scheuer, flinker Zunge. Es war wie immer, aber doch nicht ganz. Etwas war neu an ihm. Oder lag es an ihr?

»Weißt du, was?«, flüsterte sie.

»Nein, aber sag's.«

»Es geht besser im Hotel. In einem fremden Bett.«

Mitten in der Nacht erwachte Erika. Sie hatte geträumt. Einen Fisch hatte sie herumschwimmen sehen in sauberem, klarem Wasser, irgendwo im Meer. Dieser Fisch war wundervoll anzuschauen gewesen, ruhig und stolz war er zwischen den Wasserpflanzen geschwebt. Auf dem Grund oder in einer Höhle hatte eine Art Riesenkrake gelauert, ein fürchterliches Ungeheuer, unerlöst und bösartig, auf Leben und Tod angewiesen auf diesen Fisch. Das Ungeheuer war siegessicher und seltsam traurig gewesen. Und der Fisch hatte leicht seine Flossen bewegt.

Sie hörte das Rauschen des Baches, sie hörte Erdogan atmen. Sie griff zur Uhr auf dem Nachttisch, es war kurz vor drei. Draußen war ein Geräusch zu hören, als ob jemand Stoff entzweirisse. Sie bewegte sich nicht. Sie wartete und hoffte, dass das Geräusch aufhören würde. Es hörte nicht auf. Dort draußen verrichtete jemand gründliche Arbeit. Dann hörte sie ein leises Pfeifen und Zischen, als ob Luft entweichen würde. Das Zischen wiederholte sich, einmal, zweimal, dreimal. Sie erhob sich leise, sie wollte Erdogan nicht wecken. Sie machte kein Licht, sie trat in der Dunkelheit ans Fenster.

Unten stand das Cabriolet, halb verdeckt von einem Baum. Im Schimmer der Straßenlaterne sah sie, dass das rote Faltdach kaputt war, zerfetzt und zerstückelt. In den

Reifen war keine Luft mehr. Sie waren geschrumpft, zerstochen, platt.

Ein roter Kleinwagen mit Antenne stand daneben, die Lichter abgeschaltet. Nach einer Weile wurde sein Motor gestartet, leise, kein Vollgas, der Fahrer wollte niemanden wecken. Oder doch? Dann fuhr das kleine Auto weg, noch immer ohne Licht, ein stiller Schatten auf der Straße.

Erika wartete, bis sie den Motor nicht mehr hörte. Sie fror in der Nachtluft, sie zitterte plötzlich vor Kälte. Behutsam ging sie ins Bett zurück, sie legte sich zu ihrem Mann, ohne ihn aufzuwecken, sie spürte seine Wärme und schlief ein.

Als Erika am andern Morgen erwachte, stand Erdogan am Fenster und schaute hinaus. Sie hörte die Kirchenuhr schlagen, neun Mal. Sie setzte sich auf.

»Das Auto ist kaputt«, sagte er dumpf, »jemand hat das Verdeck zerstochen und die Reifen.«

»Ich weiß. Ich habe ihn gesehen.«

»Was? Bist du wahnsinnig? Warum hast du mir nichts gesagt?«

»Es war kurz vor drei. Ich bin erwacht und habe hinausgeschaut. Es war der rote Kleinwagen mit der Antenne.«

Er schloss das Fenster, setzte sich auf das Bett und legte das Kinn in die Hände. Sie betrachtete seine Füße, es waren Patschfüße. Der rechte große Zehennagel war blau unterlaufen.

»Das war der fremde Mann«, sagte er, »er lässt mich nicht los. Er verfolgt mich. Er weiß immer, wo ich bin.«

»Ich hab es dir gesagt. Nächstes Mal, wenn er dich anruft, musst du mit ihm reden.«

»Er wird mich nicht mehr anrufen. Weil ich mich verstecke. Er wird mich nicht mehr finden.«

»Du bist und bleibst ein Kindskopf«, sagte sie und streichelte seinen Rücken, »aber du bist lieb.«

Er schaute sie an, hilfesuchend, die Angst hatte ihn wieder gepackt.

»Was ist ein Kindskopf?«, fragte er.

»Das ist einer«, sagte sie, »der sich unheimlich freuen kann über etwas, was ihm gar nicht gehört.«

Er überlegte, er weinte fast. »Wir gehen heute beide nicht zur Arbeit«, entschied er dann, »wir bestellen ein Taxi und fahren zu Muhammed Ali ins Café. Dort bleiben wir bis morgen früh. Ich hole in der Garderobe die Diamanten. Dann fahren wir zum Bahnhof, steigen in den Zug nach Kloten und fliegen nach Izmir. Das ist ein guter Plan. Einverstanden?«

Sie umschlang seinen Hals, küsste seinen Nacken. »Du bist dumm. Ich habe dir schon einmal gesagt, dass er dich auf keinen Fall gehen lässt, ohne dass du ihm zuvor die Diamanten übergibst. Aber du bist sehr lieb, zu mir jedenfalls. Weißt du das?«

Er versuchte, trotz seiner Angst zu lächeln.

»Reichtum macht nicht nur stark wie eine ganze Herde«, sagte er, »sondern Reichtum macht auch zärtlich und geil. Das ist auf der ganzen Welt so, bei Männern und Frauen. Und ich gebe diesen Reichtum nicht her. Ich fliehe mit ihm. Und du fliehst mit mir. Du hast gar keine andere Wahl, und ich auch nicht. Du wirst mir helfen. Abgemacht?«

Sie wiegte den Kopf hin und her, abwägend, als ob sie über das Ziel einer Reise nachdächte.

»Wir frühstücken erst einmal«, sagte sie, »ich bin ohnehin zu spät dran. Ich rufe an und sage, ich sei wieder krank geworden, ein Rückfall. Dann fahren wir meinetwegen ins Café und sehen weiter.«

»Gut. Und morgen um diese Zeit sitzen wir bereits im Zug nach Kloten.«

Sie griff sich ins Haar, bündelte es im Nacken und legte es über die linke Schulter. »Solange er die Diamanten nicht hat«, sagte sie, »bleibst du am Leben. Das heißt, er darf auf keinen Fall die Diamanten in die Hand bekommen.«

Als sie das Restaurant betraten, duftete es nach frischem Kaffee. Auf ihrem Tisch lag ein aufgeschnittenes Weißbrot, knusprig und luftig.

Die Wirtin erschien. Sie verwarf die Hände, lamentierte: »Haben Sie gesehen, was mit Ihrem Auto geschehen ist? Das sind Vandalen, richtig Rowdies, diese Fremdenhasser. Die wollen die Basler vertreiben, terrorisieren, dass sie nicht mehr ins Elsass fahren. Und die Basler sind doch unsere beste Kundschaft. Ich kann das Hotel zumachen ohne die Basler. Aber das begreifen die nicht, dass wir angewiesen sind aufeinander. Wir sind doch Nachbarn, und wir profitieren voneinander. Wir gehören zusammen, wir reden schließlich die gleiche Sprache. Aber gehen Sie hinaus, schauen Sie sich Ihr Auto an. Es ist entsetzlich.«

»Wir haben es schon gesehen«, sagte Erika, »es ist nicht

so schlimm. Wenn Sie uns einen Schraubenzieher geben, schrauben wir die Nummern ab und fahren im Taxi zurück. Den Wagen lassen wir stehen, wenn es geht, bloß für einige Tage.«

»Aber sicher geht das. Sie können ihn auch abschleppen lassen. Da vorn beim Dorfeingang gibt es eine Démolition. Die kann das besorgen, wenn Sie es wünschen.«

»Wir geben Ihnen Bericht«, sagte Erika, und sie war jetzt tatsächlich eine Dame, »wir wollen vorher noch mit unserem Garagisten Rücksprache nehmen.«

»Bitte sehr, wie Sie wünschen. Und bitte keine Journalisten. Es wäre eine Katastrophe für mein Geschäft, wenn das in der Zeitung stehen würde.«

»Wo denken Sie hin, Madame«, sagte Erika und lächelte freundlich, »so etwas kann doch passieren. Es gibt diese Fremdenhasser überall.«

Das Auto war wirklich übel zugerichtet. Das Steuerrad war zerbrochen, die elektrischen Kabel waren herausgezerrt, die Ledersitze aufgeschlitzt. Ein Abbruchwagen war das, kein Luxusschlitten mehr.

Kurz nach elf stiegen sie ins Taxi, das die Wirtin bestellt hatte. Sie saßen beide hinten, dicht nebeneinander. Erdogan hielt Erika bei der Hand, als wolle er ihr helfen. Aber sie wusste, dass er es war, der beschützt werden musste.

Der Grenzübergang war unbesetzt, das Taxi rollte problemlos durch. Sie drehten mehrmals die Köpfe und schauten zurück. Niemand folgte ihnen.

Ein Mäusebussard saß auf einem Nussbaum, unglaublich nah, unglaublich mächtig. Der Schwarzwald jenseits der Ebene, in der Basel lag, glänzte dunkel im Sonnenlicht.

Nur noch wenige weiße Flächen waren auf seinen Höhen zu sehen.

Sie durchfuhren die Stadt, wortlos. Erikas Hand lag auf Erdogans Schenkel, sein Gesicht war nass vom Schweiß.

»Du musst keine Angst haben«, sagte sie, »bei mir bist du sicher.«

Das Taxi stoppte vor dem Café Ankara. Erika bezahlte, sie stiegen aus. Einige Autos fuhren über die Kreuzung, eine Mutter schob ihren Kinderwagen über den Fußgängerstreifen, die Bremsen eines Lastwagens quietschten.

Der Handkarren einer Gemüseverkäuferin stand da, mit Kartoffeln, Kohl und Karotten beladen. Eine alte Frau in dickem Wollmantel war dabei, Zwiebeln abzuwiegen. Sie schaute auf, neugierig, freundlich. »Brauchen Sie etwas, Madame?«, fragte sie.

Erika schüttelte den Kopf. Sie nahm Erdogan bei der Hand und ging mit ihm die Stufen hinauf ins Café.

Nach einer Weile fuhr draußen ein roter Kleinwagen heran. Aus seiner linken Seite ragte eine Antenne. Er hielt direkt neben dem Gemüsekarren an. Der Mann am Steuer schaute zum Café hinüber. Er sah das ausgehängte Plakat, auf dem stand, dass am Samstag um 11 Uhr 30 ab Zürich Kloten ein Flug nach Izmir startete. Dann war der türkische Saisonnier Erdogan Civil zu sehen, der an der Theke stand und ein Flugticket in Empfang nahm.

Der Mann am Steuer legte den ersten Gang ein und fuhr weg. Ein Stück weiter vorn parkte er, nahm den Hörer des Autotelefons und stellte die Nummer 123 63 20 ein. Eine kräftige, sonore Männerstimme meldete sich. »Hallo?«, sagte sie jovial.

»Hier ist Kayat. Guy Kayat.«

Pause. Ein tiefes Atmen. Dann wieder die Stimme, fest und gar nicht mehr jovial. »Ich kenne niemanden dieses Namens.«

»Es ist absolut notwendig«, flüsterte Kayat, »dass ich mich melde. Tut mir leid. Ich mache es kurz. Ein Türke namens Erdogan Civil hat die Diamanten, er hat sie aus der Kanalisation gefischt. Er hat vor, morgen um 11 Uhr 30 von Kloten aus nach Izmir zu fliegen. Er wird die Diamanten bei sich haben.«

Wieder eine Pause. Wieder dieses tiefe Atmen. »Dieses Schwein«, sagte die Stimme leise, »das ist nicht gestattet.«

Peter Hunkeler lag in seinem Büro auf dem Feldbett, in eine Wolldecke gewickelt. Er schaute auf den Ahorn draußen im Hof. Die Krähen waren weg, ausgeflogen, verduftet in aller Frühe, als er noch in seinen Morgenträumen gelegen hatte.

Er hatte unruhig geschlafen und sich hin- und hergewälzt, sich immer wieder einrollend in die Embryostellung, die wirrsten Gedanken im Kopf. Sie führten zu nichts, er hatte die Lösung nicht in der Hand, und ohne die Lösung konnte er nicht handeln, nicht helfen.

Er hatte schon mehrmals überlegt, ob er Civil in Untersuchungshaft nehmen sollte, um ihn zu schützen. Aber unter welchem Vorwand hätte er das tun sollen? Weil der kleine Mann im Verdacht stand, Diamanten gefunden zu haben, ohne das vorschriftsmäßig zu melden? Aber wie sollte er das beweisen? Und was war mit Kayat, was war mit dem Empfänger der Ware? Der wäre gewarnt gewesen und hätte sich noch mehr abgeschottet.

Hunkeler hatte die Hoffnung noch nicht aufgegeben, diesen Mann zu erwischen. Die kleinen Kuriere zu schnappen, die für wenig Geld einige Jahre Zuchthaus riskierten, das war keine Kunst. Das brachte auch nichts. Denn hinter jeder dieser armseligen Gestalten warteten hundert andere, die ebenfalls bereit waren, für ein paar Tausender ihre Freiheit aufs Spiel zu setzen.

Die Hintermänner hingegen, die sich in Geldgeschäften auskannten und mit ein paar Federstrichen Hunderttausende verdienten, ohne sich die Finger je schmutzig zu machen, die waren fast unantastbar. Die erwischte man praktisch nie, und wenn man doch einmal einen schnappen konnte, so konnte man ihm nichts beweisen.

Er konnte nichts anderes tun als den Dingen ihren Lauf lassen. Das lähmte, das brauchte Nerven, das verlangte seine ganze Konzentration. Er wartete auf den Anruf von Erika Waldis. Sie würde ihn in einem bestimmten Moment, wenn ihr die Sache zu gefährlich wurde, anrufen. Daran glaubte er fest.

Er war verschwitzt, er fühlte sich fiebrig. Er hätte sich rasieren und duschen sollen, aber er wollte nicht.

Er erhob sich, griff zum Telefon und bestellte im Café Kastell ein Frühstück mit Tee. Er legte sich wieder aufs Feldbett, rollte sich ein, den Kopf zwischen den Armen, und versuchte, die Gedanken zur Logik zu zwingen.

Nach fünf Minuten klingelte das Telefon. Es war Haller. Er meldete, dass weder Herr Civil noch Frau Waldis heute

Morgen aus der Wohnung gekommen seien. Er habe in der Wohnung angerufen und über zwanzig Mal klingeln lassen, es habe niemand abgenommen. Er sei hochgestiegen und habe an die Wohnungstür gepoltert, es habe niemand geöffnet. Er habe im Hinterhof bei der Schreinerei nach Spuren gesucht und sei fündig geworden. An der Mauer, welche die beiden Grundstücke trenne, lehne eine Leiter, und zwar auf der anderen Seite, auf der Fluchtseite. »Ab durch den Hinterhof«, klagte er, »und ich Arschloch warte auf der Vorderseite. Soll ich die Wohnungstür aufbrechen?«

»Nein«, sagte Hunkeler und legte auf.

Es klopfte an die Tür. Eine Frau aus dem Café brachte das Frühstückstablett herein. Ihr folgte Staatsanwalt Suter, aufgewühlt, fassungslos.

»So, Herr Kommissär«, bellte er, »wie gehen die Geschäfte? Gut, hoffe ich? Aber lassen Sie sich nicht stören, essen Sie ruhig und in Frieden, ich wünsche Ihnen einen guten Appetit.«

Er setzte sich an den Tisch. Offensichtlich hatte er etwas in petto, etwas Durchschlagendes, Zermalmendes.

Hunkeler schenkte sich Tee ein, bedächtig. Er trank, strich sich ein Butterbrot.

»Die Geschäfte gehen schlecht«, sagte er. »Wir nehmen an, dass ein türkischer Saisonnier, der in der Kanalisation arbeitet, die Diamanten gefunden hat. Ich habe soeben von Haller erfahren, dass dieser Mann samt seiner Freundin verschwunden ist. Ausgeflogen, verduftet wie die Krähen.«

»Wie was, wenn man fragen darf?«

»Wie die Krähen«, sagte Hunkeler, »wie die großen

schwarzen Vögel. Auch Herr Kayat ist nicht mehr aufgetaucht. Die ganze Mannschaft ist verschwunden, und ich habe nichts in Händen, wo ich ansetzen könnte. Ich kann nur warten, und das tue ich auch.«

»Krähen, schwarze Vögel, was soll das alles?« Suter schnappte nach Luft. »Sie wollen tatenlos zuschauen, wie uns diese ganze Mafia auf der Nase herumtanzt, was? Und das Nächstliegende, das einzig Vernünftige tun Sie nicht. Ich will Ihnen jetzt einmal etwas sagen. Heute Morgen kurz vor acht, als Sie wohl noch auf Ihrem Feldbett ausgestreckt lagen, müde von Ihrem unsteten, schwierigen Leben, hat mich ein hiesiger Juwelier mit Namen Bernett angerufen. Und wissen Sie, was er mir mitgeteilt hat?«

Hunkeler hörte auf zu kauen, schüttelte den Kopf.

»Er hat mir mitgeteilt, dass vor drei Tagen, an jenem verschneiten Dienstagmorgen, als Sie Ihren Rausch ausschliefen, ein seltsames Paar in seinen Laden gekommen sei. Eine etwa fünfzigjährige, ziemlich dicke Schweizerin und ein wesentlich jüngerer, kleiner Ausländer, der wie ein Türke aussah. Und wissen Sie, was die beiden wollten, wenn man fragen darf?«

Wieder schüttelte Hunkeler den Kopf.

»Sie wollten Herrn Bernett zwei Diamanten verkaufen. Zwei sehr schöne Stücke, wie Herr Bernett beteuerte, wie man sie selten zu Gesicht bekomme, jeder einzelne Stein mehrere zehntausend Franken wert. Was sagen Sie jetzt, was, wie?«

Hunkeler griff in die Jackentasche, nahm die Zigarettenschachtel heraus, zündete eine an, rauchte, hustete.

»Jetzt hat es Ihnen die Sprache verschlagen, was? Sie husten ja wie eine Kuh, die zu viel frischen Klee gefressen hat, wenn man so sagen darf.«

Hunkeler grinste. Dieser Vergleich war daneben, und Suter wusste es auch.

»*Tant pis*«, bellte er, »was sollen diese Vergleiche? Husten Sie, so viel Sie wollen. Ruinieren Sie ruhig Ihre Gesundheit. Aber vergessen Sie nicht Ihre Pflichten. Sie hocken hier, untätig wie ein Philosoph, und trauern vergangenen Zeiten nach. Sie abgewrackter Weltverbesserer. Und währenddessen werden am helllichten Tage in den Straßen Basels die Steine gehandelt, die Sie vor vier Tagen am Badischen Bahnhof hätten beschlagnahmen sollen. Haben Sie dafür eine Erklärung, wenn man fragen darf?«

Hunkeler drückte die Zigarette aus. »Ich habe keine Erklärung«, sagte er, »aber ich brauche einen Durchsuchungsbefehl.«

Suters schwere Hand krachte auf den Tisch. »Endlich. Es ist auch höchste Zeit. Durchsuchen Sie die Wohnung dieses Türken, stellen Sie alles auf den Kopf, schaffen Sie diese Diamanten herbei. Und verhaften Sie endlich diese Gangster.«

Er erhob sich, schaute böse auf das Feldbett und wollte hinausgehen.

»Noch etwas«, sagte Hunkeler. »Ich schlage vor, wir überwachen das Telefon der Infex AG.«

»Wie bitte? Sie verdächtigen Dr. Zeugin noch immer? Sind Sie eigentlich übergeschnappt? Das ist Ihre revolutionäre Vergangenheit, die hier durchschlägt. Immer gegen die Reichen, die Mächtigen, was? Sie mit Ihrem langen Marsch durch die Institutionen«, bellte er mit hochrotem Kopf,

»Sie sind hier am falschen Platz, in der falschen Institution. Kommt gar nicht in Frage. Die Infex AG wird nicht abgehört. Ein für alle Mal nein.«

Er ging hinaus, schmetterte die Tür zu.

Hunkeler fühlte sich nicht gut. Wie das letzte Stück Dreck, wie dem Teufel vom Karren gefallen. Immer wieder geschah etwas, wovon er nichts ahnte, nichts wusste. Er war immer einen Schritt zu spät. Oder doch nicht? War er vielleicht schon am Ziel, bevor die anderen eintrafen?

Er nahm den Hörer und stellte Schneebergers Nummer ein.

»Wir haben einen Durchsuchungsbefehl für Erdogan Civils Wohnung«, sagte er. »Durchsucht sie, aber macht nichts kaputt. Es gibt übrigens ein Aquarium in der Wohnung, mit schwarzem Sand. Schaut auch darin nach. Und noch etwas. Einer von euch soll sich vor die Infex AG an der Gempenfluhstraße setzen und schauen, was geschieht, ob der Zeugin hinein- oder hinausgeht, ob Kayat erscheint, ob die Leopardenfrau auftaucht. Aber bitte diskret, nicht eingreifen, Zeugin ist ein hohes Tier.«

»Das mache ich«, sagte Schneeberger, »ich kenne die Dame. Und was machst du eigentlich während der ganzen Zeit? Geht's dir gut, wenn man fragen darf?« Er lachte, aber es war eher ein schäbiges Meckern.

»Nein«, sagte Hunkeler, »es geht mir nicht gut. Ich mache offenbar alles falsch.«

»Wie gewohnt«, sagte Schneeberger, »nimm's nicht zu schwer. Wir alle wissen, dass du ein ziemlich heavy Typ, ich meine, ein ziemlich zäher Bursche bist.«

»Danke«, sagte Hunkeler.

Erika Waldis verbrachte den Rest dieses Tages im Café Ankara. Sie saß auf der Bank in der Ecke vor einem Glas mit kräftigem Tee, der ihr sehr gut schmeckte. Sie schaute zu, wie Erdogan an der Theke mit dem Wirt, der offenbar Muhammed Ali hieß, verhandelte.

»Alles in Ordnung«, sagte er, als er sich zu ihr hinsetzte, »die Maschine nach Izmir ist nur halb voll.« Er zwinkerte mit dem linken Auge, er legte ihr mit einer eigenartig ausholenden Geste die Hand auf die Schulter.

Sie aßen eine seltsam gewürzte Gemüsesuppe und weiches Weißbrot. »Schmeckt's?«, fragte er.

»Ja«, sagte sie, »sehr gut, auch der Tee.«

Er nickte freundlich, fast gönnerhaft, aber sie merkte, dass es ihm nicht wohl war. War es die Angst, die ihm immer noch im Nacken saß, oder war es etwas anderes?

»Hier bist du sicher«, sagte er und zeigte auf die Männer, die Karten spielten. »Die helfen mir alle. Hier drin nimmt mir niemand etwas weg, und du bist beschützt wie in einer großen Familie.«

Dann saßen sie da, nebeneinander wie ein vertrautes Paar, schweigend. Von den Männern schaute keiner herüber. Sie hatten ihr freundlich zugenickt, als sie hereingekommen war und Erdogan sie vorgestellt hatte. Einige hatten einen Gruß gesagt, den sie nicht verstanden hatte. Sie war offenbar nicht unwillkommen hier, immerhin war sie Erdogans Freundin. Aber es war ihr sofort aufgefallen, dass sie die einzige Frau im Raum war. Und sie kam sich immer mehr wie überhaupt nicht anwesend vor.

Sie schaute hinaus zum Gemüsekarren, der auf dem Trottoir stand. Die alte Frau im Wollmantel schraubte eine

Thermosflasche auf. Sie hatte Mühe damit, der Verschluss saß fest. Sie fasste ihn aufs Neue, sie krümmte sich vor Anstrengung vornüber, und endlich gelang es ihr. Sie schenkte sich sorgfältig ein, trank, packte ein Wurstbrot aus und biss hinein. Sie kaute langsam, offenbar hatte sie ein künstliches Gebiss. Sie brauchte ziemlich lange, bis sie das Wurstbrot aufgegessen hatte. Dann faltete sie das Papier zusammen und schob es in einen Plastiksack, der an der Deichsel hing. Sie schenkte sich noch einmal ein, freute sich sichtlich an der Wärme des Kaffees, schraubte den Verschluss wieder auf die Flasche und stellte diese auf den Karren. Schließlich verschränkte sie die Arme über der Brust, schob die Hände in die Ärmelenden und wartete.

»Ich gehe schnell hinaus«, sagte Erika, »ich brauche Gemüse.«

Erdogan schaute sie verständnislos an. »Pass auf«, sagte er, »die Straße ist gefährlich. Du bleibst besser hier drin.«

Sie lächelte ihn an und ging hinaus. Sie kaufte ein Pfund Zwiebeln, ein Kilo Karotten und einen großen Weißkohl. Die Frau wog alles sorgfältig ab, legte Gewichtssteine auf, bis die beiden Zungen der Waage eben waren, packte die Zwiebeln, die Karotten und den Weißkohl in Zeitungspapier ein und schob alles in einen Plastiksack.

»Was will das Wetter?«, fragte sie in breitem Elsässer Deutsch. »Das ist ein Fotzelwetter, alles durcheinander. Erst kalt wie an Neujahr, dann warm wie im Mai. Das ganze Feld steht unter Wasser. Aber was will man, Madame? Macht huit Franc, wenn ich bitten darf.«

Erika bezahlte und schaute sich um, ob sie etwas Verdächtiges sehe. Alles war normal, Autos, Fahrräder, Passanten. Alles war schön. Und das Elsässer Gemüse lag gehäuft auf dem Karren, bereit, um gekauft, gerüstet, gekocht und gegessen zu werden.

Als sie ins Café zurückkam, saß Erdogan an einem anderen Tisch mit zwei Kollegen und spielte Karten. Er erhob sich und führte sie zur Bank. Er holte die Jacke, die an seinem Stuhl hing, und gab sie ihr.

»Leg dich hin«, sagte er, »und deck dich mit meiner Jacke zu. Das Beste ist, du schläfst ein bisschen. Morgen früh geht's los.«

Er zwinkerte wieder mit dem linken Auge und ging hinüber zu den Kollegen.

Sie legte sich hin, sie deckte sich zu. Sie hörte die Männer reden, sie hörte die Musik, die pausenlos lief. Sie mochte diese Musik, sie wusste, dass es Balladen waren, Lieder von Liebe und Tod, Schlager über Frauen und Männer, die sich liebten, die sich verließen, die sich verrieten. Sie hätte diese gesungenen Wörter, die traurigen, die fröhlichen, diese immer wieder aufs Neue mit Inbrunst gesungenen fremden Wörter gerne verstanden.

Als sie erwachte, war es draußen dunkel. Die Musik war noch immer da. Das Stimmengewirr hatte zugenommen, das Café war bis auf den letzten Platz mit rauchenden, Karten spielenden, redenden Männern besetzt. Nur die Ecke, wo sie geschlafen hatte, war frei.

Sie griff in Erdogans Jacke, langsam, damit es nicht auffiel. Sie suchte und fand die Garderobenschlüssel und nahm sie heraus. Dann erhob sie sich. Sie nahm den Mantel, die Tasche und den Plastiksack mit dem Gemüse und ging zu Erdogan hin.

»Danke für deine Jacke«, sagte sie. »Ich will hier nicht übernachten, es ist mir zu laut.«

Er schaute hoch, verlegen. Die Männer schwiegen plötzlich alle.

»Du darfst heute Nacht nicht in unserer Wohnung übernachten«, sagte er, »das ist unmöglich, das ist zu gefährlich.«

»Ich fahre zu Nelly. Dort bin ich so sicher wie hier. Morgen um sieben bin ich wieder da.«

Es war ihm peinlich, das war deutlich zu sehen. Er überlegte. »Gut, meinetwegen. Bis um sieben. Aber nimm ein Taxi, nicht das Tram.«

Sie hätte ihn gerne geküsst, auf die Stirnglatze, auf den Mund. Sie traute sich nicht.

»Güle güle«, sagte sie und versuchte zu lächeln. Er erhob sich nicht, er blieb sitzen, und sie ging hinaus.

Die Straße war noch ziemlich belebt. Ein warmer Wind blies und klebte ihr die Mantelenden an die Waden. Sie ging hinunter auf den Platz zum Taxistand und setzte sich in einen Wagen. »Zur Hochbergerstraße«, sagte sie, »zur Garderobe der Kanalarbeiter, bitte.«

Der Fahrer überlegte. »Das müssen die Städtischen Wasserwerke sein«, murmelte er griesgrämig, »das Bauamt, oder wie heißt das genau?«

»Fahren Sie nur an die Hochbergerstraße, ich weiß dann schon, wo es ist.«

Der Wagen fuhr an, rollte durch die dunklen Straßen, überquerte den Rhein und bog in die Hochbergerstraße ein. Sie schaute kein einziges Mal zurück, es war ihr egal, wenn sie verfolgt wurde.

»Hier ist es. Warten Sie bitte. Ich bin in fünf Minuten wieder da.«

Der Fahrer griff nach hinten, öffnete ihr die Tür und ließ sie aussteigen. »Die Uhr läuft weiter«, sagte er, »und lassen Sie bitte Ihre Taschen im Wagen.«

Sie ging über den Vorplatz und öffnete die Tür. Sie machte kein Licht, der Schein von draußen genügte. Sie öffnete Erdogans Kasten, nahm den Sack mit den Diamanten heraus, stopfte ihn in die Manteltasche und sperrte wieder zu.

Der Fahrer schaute sie aus zusammengekniffenen Augen an, als sie wieder einstieg. »Was haben Sie dort drüben gemacht, wenn man fragen darf? Pilze gesucht um diese Jahreszeit?«

»Das geht Sie nichts an«, sagte sie ruhig und nannte ihm Nellys Adresse.

Sie weinte fast, als er weiterfuhr, sie spürte an der Hand, die in der Manteltasche steckte, die geschliffenen Kanten der Diamanten. Stark wie ein Pferd, dachte sie, stark wie eine Herde von wilden Mustangs, die Mähnen flattern, die Erde bebt.

Aber sie blieb fest.

Nelly war schon im Pyjama, als sie öffnete. »Du?«, fragte sie. »Habt ihr Streit?«

»Ich bin müde«, sagte Erika, »ich erzähle dir alles später. Kann ich bei dir schlafen?«

»Immer, das weißt du.«

»Ich muss kurz auf die Toilette«, sagte Erika.

»Mach wie zu Hause. Es kommt übrigens ein Krimi nach der Tagesschau. Den sehen wir uns an, wenn du willst.«

Erika ging auf die Toilette und sperrte die Türe zu. Sie nahm den Plastiksack aus der Manteltasche und leerte die Steine ins Klo. Sie lagen im fingerhohen Wasser, blitzend, bläulich schimmernd. Wie Silberkiesel, dachte sie. Sie zog den Spülknopf hoch, das Wasser rauschte, die Steine waren weg. Sie warf den leeren Plastiksack in den Abfalleimer, wusch sich die Hände und schaute sich im Spiegel an. Die Nase war immer noch zu groß, aber die Augen waren von einer gelbgrünen Helle, die ihr gefiel.

An diesem Abend war Hunkeler der Verzweiflung nahe. Nichts hatte sich gerührt, keine neue Spur war gefunden, keine Frau Waldis hatte angerufen. Die Durchsuchung der Wohnung hatte nichts zum Vorschein gebracht, keine Diamanten, keine verdächtige Adresse, nichts.

Er fühlte sich halb krank und uralt. Ein alter Bock, weich im Hirn, weich im Schwanz, weich in den Knien. Und doch war er sicher, dass er das einzig Richtige tat.

Er hatte drei Krüge Tee getrunken und eine Tafel Schokolade gegessen, sonst nichts. Er hatte sich nicht gewaschen und nicht rasiert. Mochte wachsen, was wachsen wollte, Haare, Finger- und Zehennägel. Er hatte nur Verachtung übrig für diese Wachserei, für seinen zunehmenden Körpergeruch. Er stank tatsächlich wie ein alter Bock, und das war ihm scheißegal.

Gegen 21 Uhr rief ein Polizist aus St-Louis an. Er entschuldigte sich ausführlich für die späte Stunde, er habe zu viele Probleme mit Ausländern, mit Algeriern und Marokkanern vor allem, die seien wie die Fliegen, mal da, mal dort, kaum zu fassen. Zudem sei die Polizei in den umliegenden Dörfern schwer unterdotiert, sie sei kaum präsent, und die Dorfbewohner seien es gewohnt, selber zum Rechten zu schauen. »Sie melden nichts«, klagte er, »sie halten zusammen wie Pech und Schwefel und betrachten die Polizei als ihren Feind. Und wenn wir einmal eine Geschwindigkeitskontrolle machen, weil die Leute auf der Route nationale weit über hundert fahren, warnen sie sich gegenseitig mit dem Appel de phare. Wie soll man da jemanden erwischen?«

»Schwierig, schwierig«, sagte Hunkeler. »Aber was wollen Sie mir eigentlich sagen?«

»Also.« Der Polizist aus St-Louis räusperte sich, er holte aus zu einer gewichtigen Rede. »In der vergangenen Nacht ist vor der Auberge in Neuwiller ein alter Amerikanerwagen, weiß mit rotem Verdeck, vollständig demoliert worden. Die Wirtin tippt auf Fremdenhass als Motiv. Es könnte aber auch etwas anderes sein, und deshalb rufe ich an. Der Wagen hatte eine Basler Nummer.«

»Können Sie mir die Nummer bitte durchgeben?«

»Leider nicht. Die Nummernschilder wurden abgeschraubt und mitgenommen von den Besitzern des Wagens. Das ist eine Frau Erika Waldis, sie hat sich unter diesem Namen an der Réception eingetragen. Und ihr Begleiter war ein Mann aus dem Balkan oder der Türkei.«

»Vielen Dank«, sagte Hunkeler, »wir melden uns auch wieder einmal, wenn wir etwas wissen, was für Sie interessant sein könnte.«

Er legte auf. Endlich, dachte er.

Neuwiller, Elsass, warum verreist Civil nach Frankreich? Und wer hat ihm das Auto demoliert? Will er von Bâle-Mulhouse abfliegen? Weiß das Kayat, verfolgt er ihn?

Er bestellte eine Kanne Kaffee und rief dann das Swissair-Bureau auf dem Flughafen Bâle-Mulhouse an. Nein, ihnen war nichts bekannt. Es startete morgen keine Maschine mit türkischer Destination und übermorgen auch nicht. Aber Moment mal, von Zürich-Kloten aus, da startete morgen ein Charterflugzeug nach Izmir, und zwar um 11 Uhr 30.

»Können Sie die Liste der Passagiere abrufen?«, fragte Hunkeler, und seine linke Hand trommelte Wirbel aufs Buchenholz.

»Nein, tut mir leid. Aber in Zürich-Kloten können sie das vielleicht.«

Es klopfte an die Tür, die Frau brachte den Kaffee. Hunkeler bedankte sich, lächelte freundlich und fragte sich, ob er ihr sagen solle, sie sei ein Engel.

Er ließ es bleiben, griff wieder zum Hörer und rief Zürich-Kloten an.

Das sei schwierig, meldete eine freundliche Frauenstimme, bei einem Charterflug zu dieser späten Stunde an die Passagierliste heranzukommen. Aber unmöglich sei es nicht. Er solle mit der Zürcher Polizei oder mit der Flughafenpolizei reden.

Hunkeler rief die Flughafenpolizei an. Er meldete, am morgigen Samstag um 11 Uhr 30 wolle aller Wahrscheinlichkeit nach ein türkischer Staatsangehöriger namens Erdogan Civil mit einer Chartermaschine nach Izmir fliegen. Dieser Mann sei beim Einchecken zu überwachen und kurz vor dem Abflug festzunehmen. Und noch etwas: Es sei sehr dringend zu wissen, wo dieser Herr Civil sein Flugticket gekauft habe.

Dann kippte Hunkeler den Stuhl nach hinten, die Füße an der Tischkante, rauchte, trank Kaffee und wartete.

Um 22 Uhr 30 rief Schneeberger an, freudig und aufgestellt.

»Ich habe sie gesehen«, meldete er, »es gibt gar keinen Zweifel, sie war es.«

»Wer?«, fragte Hunkeler blöd.

»Die Dame mit dem Leopardenmantel«, sagte Schneeberger, »wer denn sonst? Es gibt nur eine solche Dame in ganz Basel.«

»Und wo ist sie jetzt?«

»Weggefahren mit dem Fahrrad. Ich sage dir …«

»Bist du wahnsinnig, du Idiot«, schrie Hunkeler, »du bist und bleibst das Arschloch vom Dienst.«

Jetzt tat Schneeberger beleidigt. »Du hast doch gesagt, diskret, nicht eingreifen, es ist ein großes Tier.«

»Dr. Zeugin ist ein großes Tier, aber doch nicht diese Frau.«

Er schmetterte den Hörer auf die Gabel, er hätte ihn fressen können vor Wut.

Er setzte sich aufrecht hin, die Hände flach auf den Knien. Ich bin ganz ruhig und entspannt, murmelte er, und mein Kopf ist schwer und warm, und mein Magen, und mein Sack.

Es half nichts. Er warf den Stuhl um, hieb mit der flachen Hand auf den Tisch, dass sie schmerzte. Er legte sich aufs Feldbett und rollte sich ein wie ein Kind.

Nach einer Weile wurde er ruhig, und jetzt dachte er nach. Schau an, sagte er laut ins leere Zimmer hinein, dieser Dr. Zeugin hat eine ganze Reihe sehr interessanter Angestellter.

Am andern Morgen Punkt sieben – es war ein gewöhnlicher Samstagmorgen, wenig Verkehr auf den Straßen, der Pegelstand des Rheins war immer noch hoch, die Luft roch nach Frühling – ging Erika Waldis die Colmarerstraße hinauf zum Café Ankara. Sie hatte ihre Tasche bei sich und den Plastiksack mit dem Gemüse. Sie fühlte sich gut, sie hatte gut geschlafen, Leib an Leib mit Nelly im breiten Bett. Sie hatten zusammen gefrühstückt, ohne viele Worte, sie hatten gemerkt, dass sie einander immer noch mochten, dass sie angewiesen waren aufeinander.

Sie betrat das Café, leise, sie wollte nicht stören. Sie sah Erdogan an einem Tisch sitzen vor einem Glas Tee. Nebendran stand Muhammed Ali und redete auf ihn ein. Als er die Tür gehen hörte, schwieg er abrupt, wie ertappt. Erika ging zu Erdogan hin und wollte ihn küssen. Er wehrte ab.

»Gut, dass du da bist«, sagte er, »wir haben uns schon Sorgen gemacht.«

»Wer ist das, ›wir‹?«, fragte sie.

Er schaute zu Muhammed Ali hoch, unsicher, er war sehr bleich. »Der fremde Mann ist immer noch hinter uns her«, sagte er, »hinter dir, hinter mir. Ich fahre jetzt mit einem Taxi zur Garderobe an der Hochbergerstraße. Dann muss ich noch einige andere Dinge erledigen. In einer

Stunde bin ich wieder hier und hole dich ab. Dann fahren wir zum Bahnhof, gemeinsam, und nehmen den Zug nach Kloten. Alles in Ordnung?«

»Nein«, sagte sie, und sie hatte Mühe, nicht die Wahrheit zu gestehen, »ich bleibe nicht hier in diesem Café. Es gefällt mir hier nicht. Ich fahre in die Wohnung. In einer Stunde bin ich am Bahnhof, vielleicht, wer weiß? Hast du gut geschlafen?«

»Du redest seltsam.« Er schaute sie hilflos an, die nackte Angst in den Augen. »Das ist zu gefährlich, in die Wohnung zu gehen. Du bleibst da.«

»Nein. Ich fahre dorthin, wo ich wohne, wo ich zu Hause bin. Und du bist auch dort zu Hause.«

Er erhob sich. »Also gut. In einer Stunde auf dem Bahnhof.«

Er verabschiedete sich von Muhammed Ali, nahm den Koffer und ging mit ihr hinaus. Seine Augen suchten die Umgebung ab. »Alles in Ordnung«, flüsterte er und zwinkerte.

»Ich komme mit, bis du im Taxi sitzt«, sagte sie, »da unten beim Taxistand ist meine Haltestelle.«

Erdogan zögerte. Offenbar wollte er sie nicht unnötig in Gefahr bringen, dieser Kindskopf, dieser sture Esel. Oder wollte er sie einfach weghaben?

»Also los, komm, ab die Post«, sagte er.

Sie gingen mit schnellen Schritten die Colmarerstraße hinunter. Er rannte fast, sie keuchte.

»Geh schon voraus«, sagte sie, »ich kann nicht so schnell rennen. Es wird dich wohl niemand stehlen.«

Er nickte kurz, ging, ohne anzuhalten, weiter, überquerte nach wenigen Metern die Straße und rannte direkt vor einen roten Kleinwagen mit Antenne, der in horrendem Tempo herangefahren kam und mit quietschenden Reifen bremste. Die Stoßstange erwischte ihn leicht am rechten Bein, er ging zu Boden, erhob sich aber schnell wieder und versuchte zu fliehen.

Es war zu spät. Aus dem roten Auto war ein bulliger Glatzkopf gestiegen und packte ihn am Arm. Ein zweiter Mann in hellem Kamelhaarmantel trat mit schnellen, fast eleganten Schritten hinzu und schlug ihm die Faust in den Magen. Erdogan klappte vornüber. Sie schleppten ihn ins Auto, zogen die Türen zu und fuhren davon.

»Mörder, Diebe, Verbrecher!«, hatte Erika geschrien. Sie war gerannt, so schnell sie konnte, um ihrem Mann zu helfen, ihm beizustehen. Sie kam zu spät.

Ein Rentner auf einem Fahrrad hatte angehalten. Sein Kinn zitterte vor Aufregung, Speichel tropfte von seinen Lippen. Er half ihr, die Karotten einzusammeln, die aus dem Plastiksack gefallen waren.

»Das war eine Entführung«, sagte er, »wie in Chicago. Ich habe alles ganz genau gesehen. Man muss die Polizei anrufen.«

Erika hob den Sack, die Tasche und den Koffer auf, der im Straßengraben lag. Eines der beiden Schlösser war aufgesprungen, aber der Lederriemen hielt alles zusammen.

Sie ging, so schnell sie konnte, zum Café Ankara zurück. Die Gemüsefrau war dabei, ihren Handkarren aufzustellen. »Wo brennt's?«, fragte sie, als sie Erika vorbeihasten sah.

Sie öffnete die Tür, stellte den Koffer ab und ging, ohne zu zögern, zum Telefon. Dort stellte sie die erste Nummer von Kommissär Peter Hunkeler ein. Als er sich meldete, sagte sie laut und deutlich, damit er alles genau verstand: »Sie haben ihn geschnappt, zwei Männer. Sie haben ihn zusammengeschlagen. Er ist der Meinung, die Diamanten seien in seinem Garderobenkasten an der Hochbergerstraße. Sie sind aber nicht dort.«

»Wo sind sie denn?«

»Das sage ich Ihnen später. Sie werden ihn quälen, und er wird sie zur Garderobe führen. Sie müssen hinfahren und ihn retten, sofort.«

»Danke«, sagte Hunkeler und legte auf.

Sie war plötzlich todmüde, sie musste sich setzen. Ihre Knie begannen zu zittern. Sie schlotterte, wie sie noch nie geschlottert hatte. Sie umarmte ihren Kopf, wiegte ihn hin und her.

Jemand näherte sich und blieb neben ihr stehen. Es war Muhammed Ali. Er stellte ein Glas Tee vor sie hin, misstrauisch und scheu.

»Was ist geschehen?«, fragte er. »Haben sie ihn geschnappt?«

Sie nickte, suchte das Taschentuch hervor und wischte sich die Tränen ab. »Er ist selber schuld. Er ist der sturste Bock, den ich je gesehen habe, der Idiot.«

»Du hast die Polizei angerufen, nicht wahr?«

Sie nickte wieder und schlürfte vom Tee.

»Und jetzt? Was machen sie mit ihm?«

»Sie bringen ihn nicht um, weil er nicht weiß, wo die Diamanten sind. Sie bringen ihn erst um, wenn sie die Diamanten haben. Und die werden sie nie haben.«

»Erdogan ist mein Freund«, sagte er leise, »und du bist

hier in der Schweiz seine Frau. Du stehst unter meinem Schutz, solange er nicht da ist. Verlass dich auf mich, ich bin ein Mann von Wort. Aber sag mir, wo die Diamanten sind.«

Sie stellte das leere Teeglas hin, nahm die Puderdose hervor und tupfte sich die Wangen ab. Sie zog mit dem Stift die Lippen nach, musterte sich sorgfältig im Taschenspiegel. Alles war in Ordnung, keine Tränen mehr, helle Augen wie Bernstein.

»Das sage ich dir später. Jetzt ist nicht die Zeit dazu. Jetzt gehe ich nach Hause und warte auf meinen Mann.«

Sie erhob sich, ergriff den Koffer und die Taschen und ging hinaus.

Ein roter Kleinwagen fuhr in scharfem Tempo durch die Hochbergerstraße, bremste ab und hielt auf dem Vorplatz der Kanalarbeiter-Garderobe an. Der Fahrer, ein jüngerer brauner Mann in hellem Kamelhaarmantel, stieg aus und klappte den Sitz nach vorn. Aus dem Fond schob sich ein bulliger Glatzkopf, dehnte seinen Oberkörper, spuckte auf den Boden, beugte sich in den Wagen zurück und zog einen kleinen Mann heraus, dessen linkes Auge blau verschwollen war. Ein feiner Faden Blut klebte an seinem Kinn.

»Los«, sagte der Glatzkopf, »jetzt zeig uns die Diamanten.«

Die drei gingen zur Eingangstür. Der kleine Mann suchte etwas in seiner Jackentasche. Er schüttelte den Kopf. »Ich habe die Schlüssel verloren. Ich habe keine Ahnung, wo sie sind, ehrlich nicht.«

Der Glatzkopf trat ein paar Schritte zurück, nahm Anlauf und rammte mit voller Wucht seine rechte Schulter gegen die Tür. Sie sprang auf, die drei gingen hinein.

Eine dunkelblaue Limousine englischen Fabrikats glitt langsam auf den Vorplatz. Am Steuer saß ein ziemlich fetter Mann. Er stellte den Motor ab, wartete, schaute hinüber zur offenen Garderobentür. Von dort drinnen war ein Knirschen zu hören, ein leises Krachen, als ob jemand ein Schloss aufbräche. Dann war Stille.

Der Mann in der Limousine trommelte nervös auf das Steuerrad. Er öffnete die Tür, um besser hören zu können. Er sah, wie die drei Männer wieder herauskamen, als Erster der Glatzkopf, der den kleinen Mann mit sich zerrte. Er schüttelte ihn, er schlug ihm die flache Hand ins Gesicht.

»Du Schwein, du Verbrecher«, schrie er, »ich prügle die Diamanten aus dir heraus.«

Der kleine Mann erhob die rechte Hand zum Schwur.

»Bei meiner Mutter«, sagte er, »ich weiß nicht, wo die Diamanten sind.«

Da stieg der Mann in der Limousine aus und ging auf die Gruppe zu. »Was ist los«, fragte er, »habt ihr sie endlich?«

»Nein«, sagte der Glatzkopf, »die Sau hat uns belogen.«

»Was soll das heißen?«, fragte der Mann, bleich vor Wut.

»Das soll heißen«, meldete der Glatzkopf, »dass keine Diamanten in seinem Garderobenkasten liegen.«

Der fette Mann japste nach Luft. »Das ist kriminell«, schrie er, »das ist nicht gestattet. Sie leben in der freien Schweiz, und hier bei uns wird nicht gestohlen.« Er griff in die Jackentasche, nahm eine schwarze Browning heraus und schlug sie dem kleinen Mann über den Schädel. »Heraus mit der Sprache«, schrie er, »heraus damit, oder ich bringe dich um. Wo sind meine Diamanten?«

Da mischte sich der Mann im Kamelhaarmantel ein. »Hören Sie auf«, sagte er, »es nützt nichts. Er weiß es wirklich nicht.«

»Was soll das heißen? Wer weiß es denn?«

»Ich glaube, seine Frau weiß es. Sie hat gestern Abend das Türkenlokal verlassen. Ich habe sie ziehen lassen, weil ich auf Herrn Civil aufpassen wollte. Das war offenbar falsch. Sie hat sie abserviert.«

»Sie sind eine Niete«, schrie der fette Mann, »ich mache Sie persönlich verantwortlich. Ich gebe Ihnen noch einen Tag Zeit, dann sind Sie dran.«

Er drehte sich langsam ab, ging mit schweren Schritten zur Limousine zurück und blieb auf halbem Weg stehen.

Hintereinander bogen mehrere Polizeiwagen mit Blaulicht von der Hochbergerstraße auf den Vorplatz ein, hielten an, die Türen öffneten sich. Polizisten sprangen heraus mit gezückten Pistolen.

Der fette Mann setzte ein joviales Lächeln auf. Er betrachtete die Browning in seiner Hand und schüttelte ungläubig den Kopf.

Aus dem vordersten Wagen stieg Staatsanwalt Suter, zusammen mit Hunkeler und Madörin.

»Schau an«, sagte Suter, »was für eine Überraschung. Was machen denn Sie hier, Herr Dr. Zeugin, wenn man fragen darf?«

»Ach lassen wir die Titel«, sagte der fette Dr. Zeugin, der immer noch lächelte, als freue er sich über das unverhoffte Wiedersehen. »Titel sind Schall und Rauch. Habe ich recht?«

»Wie recht Sie haben«, sagte Suter, »aber was haben Sie mit der Pistole in Ihrer Hand vor?«

»Ach wissen Sie«, sagte Dr. Zeugin und schaute zu den drei andern Männern zurück, »ich bin in tiefer Not. Huber«, er zeigte auf den Glatzkopf, der in Handschellen dastand, »ist wieder einmal auf Abwegen. Ich habe ihm soeben diese Pistole abgenommen. Hier, nehmen Sie sie, es graust mir vor Waffen. Und der andere Herr dort ist offenbar ein Libanese namens Guy Kayat. Sie kennen ihn ja. Es scheint tatsächlich ein Verbrecher zu sein.«

Kayat, ebenfalls in Handschellen, verbeugte sich höflich. Dann wurde er von einem wütenden Hustenanfall gepackt.

»Und bei diesem kleinen, armen Mann hier«, fuhr Dr. Zeugin fort, »handelt es sich wohl um einen Türken namens Erdogan Civil.«

Er zeigte auf Erdogan, der von einem Sanitäter verarztet wurde.

»Dieser Türke«, dozierte er weiter, »scheint tatsächlich etwas von den Diamanten zu wissen, die Sie«, er wandte sich höflich an Hunkeler, »offenbar auf dem Badischen Bahnhof gesucht hatten. Ich habe jedenfalls etwas von Diamanten läuten hören. Jetzt schauen Sie sich einmal diese arme Kreatur an, wie übel sie sie zugerichtet haben. Das ist das internationale Verbrechertum. Das sind ja Mafiamethoden. Es ist allerhöchste Zeit, dass Sie endlich aufräumen mit diesen Gangstern, Herr Staatsanwalt. Wo leben wir eigentlich? In Palermo oder in einem demokratischen Land? Und du«, sagte er zu Huber, »was treibst du dich mit diesem kriminellen Pack herum? Du ruinierst meinen Namen, meinen guten Ruf. Du hast mich tief enttäuscht. Ich muss dich leider fristlos entlassen.«

Dr. Zeugin griff sich ans Herz. Er hatte offenbar einen Schwächeanfall, er weinte beinahe vor Kummer und Schmerz.

»So«, sagte Hunkeler, »jetzt ist Schluss mit dem Theater. Sie sind verhaftet. Handschellen anziehen.«

»Und Sie lassen das einfach geschehen«, sagte Dr. Zeugin und schaute zu, wie die beiden Eisen um seine Handgelenke einschnappten, »Sie lassen es zu, Herr Kollega Suter, dass ein unbescholtener Ehrenmann in Handschellen abgeführt wird?«

Suter stand griesgrämig daneben. »Es schaut nicht sehr gut aus für Sie, das muss ich leider sagen.« Und dann zu Hunkeler: »Tun Sie, was Sie nicht lassen können.«

Er wandte sich ab, deprimiert, hinfällig, ging zum Auto, setzte sich in den Fond und wartete.

»Das wird Ihnen nicht guttun, Herr Kollega«, rief ihm Dr. Zeugin nach, »das werden Sie bereuen. Dafür sorge ich persönlich.«

»Halten Sie die Schnauze«, bellte Madörin, »kommen Sie mit.«

»Mit Ihnen«, erklärte Dr. Zeugin, »rede ich kein Wort. Sie haben eine schmutzige Phantasie.«

Er ließ sich anstandslos abführen.

Hunkeler ging zu Erdogan Civil, der auf einer der Garderobenstufen saß. Er trug einen Verband um den Kopf.

»Er hat einen leichten Kopfschwartenriss«, sagte der Sanitäter, »die linke Augenbraue ist angerissen, der linke obere Eckzahn ist herausgeschlagen. Hinzu kommen mehrere Prellungen. Alles in allem hat er Glück gehabt.«

»Soll er ins Krankenhaus gefahren werden?«, fragte Hunkeler.

»Es wäre schon besser. Wenigstens zur Untersuchung. Und die Braue sollte genäht werden.«

»Nein«, sagte Erdogan, »ich gehe nicht ins Krankenhaus. Ich gehe nach Hause zu Erika.«

»Wenn er nicht will«, sagte der Sanitäter, »unbedingt notwendig ist es nicht.«

Erdogan schüttelte den Kopf. »Ich bin gesund wie ein Pferd, das sind nur Schrammen und Beulen.«

»Heften Sie ihm die Braue zusammen«, sagte Hunkeler, »so gut es geht. Das wird schon zusammenwachsen.«

Er erhob sich von der Stufe, zündete sich eine an und zog den Rauch tief hinunter. Er fuhr sich mit der Hand übers Kinn, dass es kratzte. Er brauchte dringend eine Rasur. Er schaute hinauf in den Himmel. Ein richtiger Frühlingshimmel war das, und dabei war erst Februar. Ein lockerer Schwarm Krähen flog dort oben vorbei, große schwarze Vögel, die sich auf den Weg zurück in die Wälder machten.

»Was ich noch wissen möchte von Ihnen«, sagte er, »haben Sie wirklich keine Ahnung, wo die Diamanten sind?«

»Nein«, sagte Erdogan, »ich schwöre es bei meiner Mutter.«

Erika Waldis schleppte Taschen und Koffer die Treppe zu ihrer Wohnung hoch. Sie musste mehrmals stehen bleiben und Luft holen, so schwer trug sie daran. Über Mauern klettern, dachte sie, nach Frankreich fliehen wie die Heilige Familie nach Ägypten. Einen Oldtimer kaufen und mitten in der Nacht zuschauen, wie er demoliert wird. Mit dem Taxi nach Basel zurückfahren, als ob man ein Krösus wäre. Auf einer Bank in einem Türkenkaffee den Nachmittag verschlafen, die fremde Musik in den Ohren. Diamanten ins Klo der Freundin spülen. Dann zuschauen, wie der eigene Mann verprügelt und entführt wird. Jetzt noch diesen idiotischen Koffer durch halb Basel schleppen. Und warum das alles? Weil er spinnt. Weil er vom großen Reichtum träumt. Weil er meint, er sei Memed der Falke.

Aber jetzt war es genug. Schluss mit Abenteuern, basta. Sie wischte sich sorgfältig die Schuhsohlen am Bastteppich vor ihrer Wohnung ab, öffnete und ging hinein.

Die Wohnung war durchsucht worden, das sah sie sogleich. Sie wunderte sich nicht darüber, sie hatte das erwartet. Immerhin hatten sie sich Mühe gegeben, es war fast alles an seinem Platz.

Sie ging zum Aquarium und streute Futter hinein. Der Goldfisch kam sogleich hoch und begann zu fressen. Er musste hungrig sein. Eine der Wasserpflanzen war versetzt. Also hatten sie auch hier gesucht, im schwarzen Sand.

Als sie Mantel und Stiefel ausgezogen hatte, setzte sie in der Küche Kaffeewasser auf. Den Aktions-Lachs warf sie in den Eimer, der war nicht mehr frisch. Das Weißbrot hob sie auf für eine Brotsuppe. Sie öffnete eine Büchse Thunfisch, leerte sie auf einen Teller. Sie legte Zwiebelscheiben darauf und goss ein bisschen Essig darüber. Dann holte sie im Kühlschrank das Glas mit den Kapern und aß im Stehen.

Sie hatte richtig gehandelt, das wusste sie jetzt genau. Erdogan würde hierbleiben, hier bei ihr in dieser Wohnung. Er musste, er hatte keine andere Wahl. Und über Ostern würden sie nach Magliaso fahren.

Sie schälte Karotten für eine Gemüsesuppe, als es klingelte. Sie ging zur Tür und öffnete. Erdogan kam herein mit havariertem Gesicht, den Kopf verbunden, die linke Braue geheftet. Hinter ihm erschien Kommissär Hunkeler.

Erika erschrak, sie wollte Erdogan umarmen. Er stieß sie von sich, ging zum Kanapee und setzte sich. Er sagte kein Wort.

Hunkeler war sichtlich verlegen. »Ich will nicht stören«, sagte er, »ich bleibe nur kurz. Darf ich mich setzen?«

»Bitte sehr«, sagte Erika. Sie ging in die Küche, holte Kaffeekanne und Tassen.

Hunkeler strich sich übers Kinn. »Ich stinke wie ein Schwein«, sagte er, »ich muss mich wieder einmal duschen. Darf ich rauchen?«

Er zündete sich eine an, stieß den Rauch aus, hustete.

»Ich habe vermutet«, sagte er, »dass die Diamanten im schwarzen Sand dort drüben im Aquarium liegen. Ich habe mich getäuscht. Sie lagen nicht dort.«

»Nein«, sagte Erika.

Sie lächelte freundlich, sie war eine charmante Gastgeberin, eine Dame.

»Wo sind sie jetzt?«, fragte Hunkeler.

»Sie liegen wieder in der Kanalisation unten, wo er sie gefunden hat. Wir brauchen keine Diamanten.«

Erdogan stöhnte. Er griff sich an den Kopf, dann in den Mund. »Da fehlt ein Zahn«, jammerte er, »das tut verdammt weh, dieses Loch.«

»Hinten oben links?«, fragte Hunkeler.

Erdogan versuchte zu grinsen. Es gelang ihm nicht, er stöhnte wieder.

»Sie lagen in seinem Garderobenkasten«, sagte Erika, »bis gestern Abend. Dort hatten Sie schon gesucht. Das war schlau von ihm.«

»Der Plastiksack auf dem Gepäckträger des Mopeds«, sagte Hunkeler, »ich Arschloch.«

»Ich habe sie gestern Abend geholt und bei meiner Freundin ins Klo gespült.«

»Und warum?«, fragte Hunkeler.

»Weil ich nicht wollte, dass sie die Diamanten finden. Sie hätten ihn umgebracht, weil er ihre Gesichter gesehen hat.«

Hunkeler nickte und trank seine Tasse aus, mit großem Genuss, wie es schien.

»Kann sein, dass Sie recht haben.« Er fuhr sich übers Kinn, es kratzte wie eine Reißbürste. »Und dann haben Sie angerufen.«

»Ja.«

»Gut. Sie werden das alles als Zeugin zu Protokoll geben und unterschreiben müssen. Wenn Sie eine falsche Aussage machen, wäre das strafbar.«

»Ich kann das beschwören, bei meiner Mutter«, sagte Erika ruhig.

»Lebt sie noch?«

»Ja, in Weggis. Wir besuchen sie an Ostern.«

Er erhob sich. »Also dann. Pflegen Sie Ihren Mann gut.

Wir halten Sie auf dem Laufenden.« Er ging zur Tür. »Übrigens, noch eine Frage. Wie viele Diamanten haben Sie ins Klo gespült? Haben Sie sie gezählt?«

»Nein«, sagte sie, ohne zu zögern, »ich habe einfach den Plastiksack geleert.«

»Dann ist also auch dieses Problem gelöst. Auf Wiedersehen.«

Er ging hinaus.

Erika setzte sich neben Erdogan aufs Kanapee und nahm seine Hand.

»Ich bin ein kaputter Mann«, sagte er, »Zahn kaputt, Kopf kaputt, Auto kaputt, Geld kaputt.«

»Das wird wieder besser«, sagte sie, »wart nur. Ich bezahle das alles, ich habe gespart. Ich bezahle dir den Zahnarzt, wenn du willst.«

»Nein«, sagte er, »kein Zahnarzt, es tut so schon weh genug. Stark wie ein Pferd, so etwas Blödes. Schwach wie ein Hund, das ist die traurige Wahrheit.«

Sie erhob sich, ging zur Tür und horchte.

»Was tust du?«, fragte er. »Der ist schon längst weg. Der hat dir geglaubt, weil du die Wahrheit gesagt hast.«

Sie öffnete die Tür, schaute hinaus. Das Treppenhaus war leer. Sie kauerte sich nieder, hob den Bastteppich auf, nahm etwas, was darunter lag, in die Hand und kam wieder herein. Sie setzte sich ihm gegenüber in den Fauteuil und legte zwei blitzende, bläulich schimmernde Diamanten auf den Tisch.

Er glotzte blöd, schaute sie ungläubig an, versuchte zu grinsen. Es ging schon besser.

»Woher hast du die?«

»Das sind die beiden, die wir dem Juwelier verkaufen wollten«, sagte sie. »Sind sie nicht schön? Der ist für dich, und der ist für mich.«

Bitte beachten Sie
auch die folgenden Seiten

Hansjörg Schneider
Hunkeler und die Augen des Ödipus
Roman

Wo steckt der Theaterdirektor Bernhard Vetter? Sein Hausboot ist herrenlos beim Stauwehr von Märkt aufgefunden worden, von ihm selbst fehlt jede Spur. Und das wenige Tage, nachdem eine Inszenierung von *König Ödipus* in Basel die Gemüter erhitzt hat – so sehr, dass eine Dame aus der feinen Gesellschaft dem Regisseur des Stücks mit ihrem Granatring zwei Zähne ausgeschlagen hat. Die Presse überschlägt sich mit Spekulationen: Liegt der Intendant auf dem Grund des Rheins? War es die Rache des Bürgertums an einem kompromisslosen Theatermann?

Peter Hunkeler, Kommissär des Kriminalkommissariats Basel, steht sechs Wochen vor der Pensionierung. Aber ist er bereit, von der Bühne abzutreten? Mit gemischten Gefühlen taucht er ein ins Theatermilieu, zu dem er als junger Mann selbst gehört hat. Er begegnet alten Bekannten wieder, die alle mit dem Theaterdirektor eine Rechnung offen haben. Und gerät in die schillernde Halbwelt des Basler Rheinhafens, in das Niemandsland zwischen der Schweiz, Deutschland und Frankreich, wo ganz andere Mächte Regie führen.

»Das unbedingt-bedingungslose Erzählen wirkt einfach, klar und unaufdringlich, wie bei Georges Simenon. Mehr braucht es nicht als ein schlecht beleuchtetes Zimmer und darin einen unscheinbaren Menschen, den einer ernst nimmt bis ins Mark. Wie ein von nun an Geborgener verlässt man jeden Kriminalroman von Hansjörg Schneider.«
Friedrich Ani / Süddeutsche Zeitung, München

Hansjörg Schneider
im Diogenes Verlag

Silberkiesel
Hunkelers erster Fall
Roman

Die Jagd nach Diamanten, die der Drogenmafia gehören, hält Kommissär Hunkeler in Atem.

Ein libanesischer Kurier entledigt sich seiner Ware, bevor die Polizei zugreifen kann. Gefunden werden die Diamanten von einem Kanalarbeiter, der das ihm zugefallene Glück nicht mehr hergeben will. Doch der Kurier setzt alles daran, sie zurückzuerobern...
Mit diesem Fall betritt Kommissär Peter Hunkeler aus Basel die literarische Bühne.

»Dieser Silberkiesel ist fürwahr ein kleiner Diamant.«
Susanne Schaber / Die Presse, Wien

Verfilmt mit Mathias Gnädinger
als Kommissär Hunkeler

Flattermann
Hunkelers zweiter Fall
Roman

Hochsommer in Basel. Nach seinem morgendlichen Bad im Rhein wird Kommissär Hunkeler Zeuge, wie von der Johanniterbrücke ein Mann in den Fluss stürzt. Auf den ersten Blick scheint es ein Selbstmord zu sein.
Doch Hunkeler zweifelt daran und geht den Spuren des Flattermanns nach. Sie führen ihn selbst an den Rand der Legalität und in die Tiefen seiner eigenen Geschichte.

»Hansjörg Schneiders Krimis machen süchtig.«
Benedikt Scherer / Tages-Anzeiger, Zürich

Das Paar im Kahn
Hunkelers dritter Fall
Roman

Eine junge Türkin wird ermordet aufgefunden, ihr Gesicht ist entsetzlich zerschnitten. Offenbar hat ihr Mann sie aus Eifersucht getötet – wenige Stunden später erhängt er sich in der Zelle.
Doch Kommissär Hunkeler mag an eine so einfache Lösung des Falles nicht glauben und recherchiert weiter. Was ist das Motiv für diesen grausamen Tod im Basler St. Johann-Quartier? Tatsächlich Eifersucht und Ehre? Oder hat die türkische Mafia etwas damit zu tun?

»Hunkeler ist der würdige Nachfolger von Wachtmeister Studer und *Das Paar im Kahn* einer der atmosphärisch dichtesten Krimis der letzten Zeit.«
Die Welt, Berlin

Verfilmt mit Mathias Gnädinger
als Kommissär Hunkeler

Tod einer Ärztin
Hunkelers vierter Fall
Roman

An einem heißen Montag im Sommer erhält Kommissär Hunkeler einen dringenden Anruf von der Sprechstundenhilfe seiner Hausärztin: Frau Dr. Christa Erni liegt ermordet in ihrer Praxis.
Schnell ergeben sich Verdachtsmomente gegen eine Gruppe Drogenabhängiger, die von der liberalen Ärztin mit Methadon versorgt worden waren. Aber Hunkelers Instinkt für die Abgründe der menschlichen Psyche führt ihn untrüglich auf andere Fährten.

Verfilmt mit Mathias Gnädinger
als Kommissär Hunkeler

Alfred Komarek
im Diogenes Verlag

Alfred Komarek, geboren 1945 in Bad Aussee, lebt als freier Schriftsteller in Wien. Zahlreiche Publikationen (Kurzprosa, Essays, Feuilletons) sowie Arbeiten für Hörfunk und TV, mehrere Landschaftsbände, u. a. über die Umgebung von Wien, das Salzkammergut, das Ausseerland und das Weinviertel sowie kulturgeschichtliche Bücher. Alfred Komareks erster Kriminalroman *Polt muß weinen* wurde mit dem Glauser 1999 ausgezeichnet.

»Mit Simon Polt, dem gutmütigen, aber beharrlichen Gendarmerie-Inspektor, betritt ein Krimiheld die Bühne, von dem man sich wünscht, daß er mit seiner stillen, schüchternen und schlichten Art noch viele Fälle zu lösen haben wird.« *Salzburger Nachrichten*

Polt muß weinen
Roman

Blumen für Polt
Roman

Himmel, Polt und Hölle
Roman

Polterabend
Roman

Die Villen der Frau Hürsch
Roman

Die Schattenuhr
Roman

Narrenwinter
Roman

Doppelblick
Roman

Polt.
Roman

Martin Suter
Allmen und die Libellen

Roman

Allmen, eleganter Lebemann und Feingeist, ist über die Jahre finanziell in die Bredouille geraten. Fünf zauberhafte Jugendstil-Schalen bringen ihn und sein Faktotum Carlos auf eine Geschäftsidee: eine Firma für die Wiederbeschaffung von schönen Dingen.
Die Geburt eines ungewöhnlichen Ermittlerduos und der Start einer wunderbaren Krimiserie.

»Jeder meiner Romane ist eine Hommage an eine literarische Gattung. Dieser ist eine an den Serienkrimi, Fortsetzung folgt.« *Martin Suter*

»Martin Suter erreicht mit seinen Romanen ein Riesenpublikum. Er schreibt aufregende, gut und nahezu filmisch gebaute Geschichten; er fängt seine Leser mit schlanken, raffinierten Plots.«
Wolfgang Höbel / Der Spiegel, Hamburg

»Martin Suter ist ein gewiefter Magier, der das Spiel mit Illusionen so virtuos betreibt wie wenige andere Gegenwartsautoren.«
Christoph Bartmann / Süddeutsche Zeitung, München

»Jedes neue Häppchen wird stilvoll serviert: keine Schnörkel, keine langatmigen Beschreibungen, viele, aber keine überflüssigen Details. Handlung ist Trumpf, Suter das As.« *Frankfurter Rundschau*

Auch als Diogenes Hörbuch erschienen,
gelesen von Gert Heidenreich

Ingrid Noll
Ehrenwort
Roman

Ein halsbrecherischer Sturz bringt den fast 90-jährigen Willy Knobel ins Krankenhaus. Die Prognosen stehen schlecht, die Ärzte rechnen mit ein paar wenigen Wochen. Trotz der lauten Proteste seines Sohnes Harald setzt dessen Frau Petra es durch, dass der Alte bei ihnen zu Hause gepflegt wird. Lange würde es ja nicht mehr dauern. Dass Max mit seiner Vanille-Pudding-Kur es schaffen würde, den Großvater wieder auf Vordermann zu bringen, hätte keiner gedacht. Je besser sich der Umsorgte fühlt, desto mehr beginnt das Leben von Harald und Petra aus den Fugen zu geraten. Während sich die beiden den Kopf darüber zerbrechen, wie sie den Störenfried ohne Aufsehen loswerden, bandelt Max mit der Pflegerin Jenny an. Doch die hat ein dunkles Geheimnis.

»Ein Feuerwerk an Pointen, Slapstick und schwarzem Humor. Zwischen zahlreichen versuchten und verübten Morden kommt es auch zu schönen menschlichen Begegnungen zwischen den Generationen. Ingrid Noll in Höchstform!« *Dagmar Kaindl / News, Wien*

»Opa lebt weiter, andere leben ab. Das geht ganz schnell bei Ingrid Noll, nebenbei und ziemlich zufällig. So elegant und flüssig wie lange nicht mehr. Allen empfohlen, die sich von häuslicher Pflege mal erholen wollen.« *Alexander Kilian / Die Welt, Berlin*

Auch als Diogenes Hörbuch erschienen,
gelesen von Peter Fricke

Jakob Arjouni
im Diogenes Verlag

Happy birthday, Türke!
Ein Kayankaya-Roman

»Privatdetektiv Kemal Kayankaya ist der deutsch-türkische Doppelgänger von Phil Marlowe, dem großen, traurigen Kollegen von der Westcoast. Nur weniger elegisch und immerhin so genial abgemalt, daß man kaum aufhören kann zu lesen, bis man endlich weiß, wer nun wen erstochen hat und warum und überhaupt. Daß *Happy birthday, Türke!* trotzdem mehr ist als ein Remake, liegt nicht nur am eindeutig hessischen Großstadtmilieu, sondern auch an den bunteren Bildern, den ganz eigenen Gedankensaltos und der Besonderheit der Geschichte. Wer nur nachschreibt, kann nicht so spannend und prall erzählen.«
Hamburger Rundschau

»Einer der interessantesten Autoren des zeitgenössischen Kriminalromans.«
Manuel Vázquez Montalbán

Auch als Diogenes Hörbuch erschienen,
gelesen von Rufus Beck

Mehr Bier
Ein Kayankaya-Roman

Vier Mitglieder der ›Ökologischen Front‹ sind wegen Mordes an dem Vorstandsvorsitzenden der ›Rheinmainfarben-Werke‹ angeklagt. Zwar geben die vier zu, in der fraglichen Nacht einen Sprengstoffanschlag verübt zu haben, bestreiten aber jede Verbindung mit dem Mord. Nach Zeugenaussagen waren an dem Anschlag fünf Personen beteiligt, aber von dem fünften Mann fehlt jede Spur. Der Verteidiger der Angeklagten beauftragt den Privatdetektiv Kemal Kayankaya mit der Suche nach dem fünften Mann…

Ein Mann, ein Mord
Ein Kayankaya-Roman

Ein neuer Fall für Kayankaya. Schauplatz Frankfurt, genauer: der Kiez mit seinen eigenen Gesetzen, die feinen Wohngegenden im Taunus, der Flughafen. Kayankaya sucht ein Mädchen aus Thailand. Sie ist in jenem gesetzlosen Raum verschwunden, in dem Flüchtlinge, die um Asyl nachsuchen, unbemerkt und ohne Spuren zu hinterlassen, leicht verschwinden können. Was Kayankaya dabei über den Weg und in die Quere läuft, von den heimlichen Herren Frankfurts über korrupte Bullen und fremdenfeindliche Beamte auf den Ausländerbehörden bis zu Parteigängern der Republikaner mit ihrer Hetze gegen alles Fremde und Andere, erzählt Arjouni klar, ohne Sentimentalität, witzig, souverän.

Auch als Diogenes Hörbuch erschienen,
gelesen von Rufus Beck

Kismet
Ein Kayankaya-Roman

Kismet beginnt mit einem Freundschaftsdienst und endet mit einem so blutigen Frankfurter Bandenkrieg, wie ihn keine deutsche Großstadt zuvor erlebt hat. Kayankaya ermittelt – nicht nach einem Mörder, sondern nach der Identität zweier Opfer. Und er gerät in den Bann einer geheimnisvollen Frau, die er in einem Videofilm gesehen hat.
Eine Geschichte von Kriegsgewinnlern und organisiertem Verbrechen, vom Unsinn des Nationalismus und vom Wahnsinn des Jugoslawienkriegs, von Heimat im besten wie im schlechtesten Sinne.

Außerdem erschienen:

Schwarze Serie
Vier Geschichten. Diogenes Hörbuch,
2 CD, gelesen von Gerd Wameling

Christian Schünemann
im Diogenes Verlag

Christian Schünemann, geboren 1968 in Bremen, studierte Slawistik in Berlin und Sankt Petersburg, arbeitete in Moskau und Bosnien-Herzegowina und absolvierte die Evangelische Journalistenschule in Berlin. Eine Reportage in der *Süddeutschen Zeitung* wurde 2001 mit dem Helmut-Stegmann-Preis ausgezeichnet. Beim Internationalen Wettbewerb junger Autoren, dem Open Mike 2002, wurde ein Auszug aus dem Roman *Der Frisör* preisgekrönt. Christian Schünemann lebt in Berlin.

»Kriminalromane gibt es wie den berühmten Sand am Meer. Umso erfreuter stimmt es die Leser, wenn sie mal in ein neuartiges Milieu eintauchen dürfen und einem überraschenden Helden begegnen – eben keinem coolen Kommissar oder gewieften Privatdetektiv. So wie in den Romanen von Christian Schünemann. Dort ist es ein Frisör, der ungewollt zum Kriminalisten wird und der den Geschichten einen ganz eigenen, höchst feinsinnigen Charme verleiht.«
Sibylle Haseke / Westdeutscher Rundfunk, Köln

Der Frisör
Roman

Der Bruder
Ein Fall für den Frisör
Roman

Die Studentin
Ein Fall für den Frisör
Roman

Daily Soap
Ein Fall für den Frisör
Roman